LEVEN

DAVID WAGNER

LEVEN

Vertaald door Goverdien Hauth-Grubben

Uitgeverij Atlas Contact
Amsterdam/Antwerpen

De vertaalster ontving voor deze vertaling een werkbeurs van
het Nederlands Letterenfonds

Nederlands
letterenfonds
dutch foundation
for literature

© 2013 Rowohlt Verlag GmbH, Reinbek bei Hamburg
© 2014 Nederlandse vertaling Goverdien Hauth-Grubben
Oorspronkelijke titel *Leben*
Omslagontwerp Zeno naar het origineel van Anzinger/Wüschner/Rasp,
München
Omslagbeeld Bettmann/Corbis
Foto van de auteur Susanne Schleyer
Typografie binnenwerk Zeno
Drukkerij Koninklijke Wöhrmann, Zutphen

ISBN 978 90 254 4222 4
D/2014/0108/588

NUR 302

www.atlascontact.nl

Alles was precies zo
en ook heel anders

BLOED

Kort na middernacht kom ik thuis. Het kind is bij haar moeder, mijn vriendin is er niet, ik ben alleen in huis. In de koelkast vind ik een aangebroken pot appelmoes, ik begin te lepelen en kijk daarbij in de krant, die nog op de keukentafel ligt, ik lees iets over muggen en waarom ze bij regen niet door de vallende regendruppels worden verpletterd. Nog voordat ik precies begrijp hoe ze overleven, voel ik iets prikkelen in mijn keel. Heb ik me verslikt? In appelmoes?

Ik sta op, loop naar de badkamer, kijk in de spiegel, maar ontdek niets bijzonders, alles ziet er nog hetzelfde uit, misschien dat ik wat bleek ben. Nu ik toch in de badkamer ben, wil ik mijn tanden poetsen, want ik sta op het punt naar bed te gaan – maar op hetzelfde moment voel ik dat ik moet overgeven. Ik draai me om, buig over de rand van het bad en daar gutst het er al uit. Als ik mijn ogen opendoe, ben ik verbaasd over al dat bloed in het bad. Langzaam loopt het richting afvoer.

Ik weet wat dit betekent. B., de arts die me vanaf mijn

twaalfde behandelt, heeft me vaak genoeg, al jaren, gewaarschuwd. Ik weet dat de oesophagusvarices, de spataders in mijn slokdarm, gesprongen zijn, ik weet dat ik nu een inwendige bloeding heb en het bewustzijn niet mag verliezen, ik moet de ambulance bellen. Toch overweeg ik, en dat heel langzaam, of ik niet een taxi naar het ziekenhuis zal nemen, maar besluit dan toch de ambulance te bellen. In de spiegel zie ik dat ik nog bleker ben geworden, ik ga op zoek naar de telefoon en vind hem in de werkkamer op mijn bureau. Het lukt me dan zelfs het verkeerde alarmnummer in te toetsen, ik toets 1-1-0 en hoor hoe een stem zegt: Voor een ambulance moet u 112 bellen. Ik hang op en vraag me af of dat een teken was. Is het beter dat ik thuisblijf? Is het misschien overdreven om een ambulance te laten komen? Ik wacht een minuut met de telefoon in mijn hand en zeg dan tegen mezelf dat het toch beter is om niet dood te bloeden, want volgende week, na de paasvakantie, is het kind er weer. En dus toets ik 1-1-2, wat heel makkelijk gaat omdat de knopjes naast elkaar zitten. Een vriendelijkere stem aan de andere kant van de lijn zegt dat ik de voordeur open moet laten – maar ik besluit mijn schoenen en jas weer aan te trekken en de arts tegemoet te lopen. Ik weet immers dat hij hier niets voor me kan doen, ik moet naar het ziekenhuis.

De arts en de twee ambulancebroeders kom ik in het trappenhuis tegen, ik groet en zeg: Ik ben het, ik moet naar het ziekenhuis, en ik merk meteen dat ze denken dat ik simuleer, ze hebben de badkuip niet gezien. In de ziekenwagen – ik zit op de brancardstoel met mijn rug in de rijrichting – weet de arts niet wat hij van mij moet denken en bestudeert mijn medisch paspoort en donorcodicil. Ik zeg dat ik naar de Virchowkliniek moet, naar de Charité Campus Virchow, ik doe verslag van mijn auto-immuunhepatitis, de cirrose, de oesophagusvarices en de overdruk in de vaten naar mijn zieke lever, ik praat en praat en dan voel ik weer iets in mijn hals. Eén hand krijg ik nog voor mijn mond, maar dan komt het bloed al met zo'n kracht naar buiten dat ik de halve wagen onderspuug. Een scène als in een splatterfilm waarom ik zou kunnen lachen, alleen gaat het hier helaas niet om nepbloed. De ambulancearts – mijn bloed druipt van zijn brillenglazen – lijkt geschrokken. Hij legt een infuus aan en dient me een zoutoplossing toe, eindelijk begint de wagen te rijden. Even later zie ik de toppen van de bomen langs de weg en de sterren boven mij en ik vraag me af waarom deze ambulance geen dak meer heeft, en weer moet ik overgeven. Liggend lukt het me maar half om in de doorzichtige zak te mikken die me wordt voorgehouden, het meeste gaat ernaast, kletst op de grond, en ik weet: als deze bloeding niet snel wordt gestopt, ben ik dood.

Indicatie: gastro-intestinale bloeding bij voorgeschiedenis van oesophagusvarices (anamnestisch).

Medicatie: propofol 100 mg i.v.

Bevindingen: in het onderste derde van de oesophagus zijn vier varices met een diameter van meer dan 5 mm te zien (de varices vullen 50 procent van het lumen en raken elkaar, graad III). Aan de minorzijde reiken de varices tot onder de cardia. Op de varices red colour signs. Zichtbare actieve bloeding. De maag is gevuld met stolsels, beoordeling niet mogelijk.

Therapie: tussen 34 en 39 cm van de tandenrij worden zes bandligaties geplaatst, de bloeding wordt onder endoscopische therapie gestopt.

I

Ik kom weer bij en weet niet waar ik ben. Er zit een slangetje in mijn neus, frisse, koele lucht, berglucht met een bijsmaakje, stroomt bij mij naar binnen. Een deels met ijs bedekte bosbeek klotst tussen hoge dennen, witbevroren grashalmen glinsteren in de zon – ik stel me kennelijk een kalenderplaat voor. Ik hoor gekreun en een aantal stemmen door elkaar heen, hoor iets druppelen en ruisen, en voel op mijn linkerbovenarm een hand die me stevig vastpakt, ja, pak me beet, hou me vast – en me dan toch weer loslaat. Het is geen hand, merk ik algauw, het is een automatische bloeddrukmeter met een manchet die zichzelf elk kwartier opblaast, mijn bloeddruk meet, deze noteert en dan weer verslapt. Het klinkt alsof er iemand lucht in een luchtbed blaast. Op dat luchtbed drijf ik de zee op.

2

Ze staan op de oever en zwaaien. Ze wachten op mij, ze zijn daar verschenen, mijn moeder, mijn grootmoeder, Rebecca, Alexandra, mijn grootvader in uniform en mijn overgrootouders, die ik niet meteen herken omdat ik ze nog nooit heb gezien. Ze zijn gekomen om mij te begroeten, ze staan op het strand en zwaaien, echt waar, ik hoor hen al roepen, ze roepen: Welkom, daar ben je dan – maar dan komt er een tamelijk grote golf, die mij niet op het strand werpt, zoals ik had verwacht, nee, een onderstroom trekt me weer ver de zee in, snel verlies ik de oever uit het oog.

3

Ik open mijn verkorste ogen, alles is wazig. Een ruimte vol kleurige vlekken – maar dan bedenk ik dat dat misschien komt doordat ik mijn bril niet opheb. Ik heb geen idee waar die is gebleven. Enkele dingen kan ik desondanks herkennen, ik hoef mijn ogen maar een beetje dicht te knijpen. Rechts bevindt zich een raam, links een deur, de deur staat open. Heel veel apparaten om me heen, kabels, drie of vier monitors, ik hoor een pieptoon. Een commandocentrale? Het bevalt me wel, mijn ruimteschip, ik ben gewichtloos, ik kan vliegen.

4

Hoog boven de stad is het licht, ik zweef en kijk omlaag. Ik kijk en weet ineens alles weer, ik ben niets vergeten. De platte daken van de kliniek, de witte kiezeltjes, het kanaal, de krachtcentrale en de rails, dat kan ik allemaal zien, ik lig, ik vlieg boven de stad – pas na minuten, uren of dagen moet ik terug in mijn vel, naar mijn bed.

5

Welnee, ik ben nog niet begraven, ik lig niet in de aarde. Het wordt licht en dan weer donker. Ik lig in een bed in het ziekenhuis, in een bed op wieltjes, ik kan naar buiten gereden worden. Als ik mijn hoofd draai, kan ik de hemel zien. Vandaag is die wit, kale berkentakken hangen op de voorgrond. Het kantelraam staat iets open, de koude lucht ruikt fris en zoetig, ik hoor vogels, ze tjilpen veelbelovende geluiden. Een zonnestraal breekt door het wolkendek, aan de andere kant van het terrein, achter de rode bakstenen muur aan de overkant van de Seestraße, ligt, ik ben daar al geweest, een begraafplaats.

6

Mijn rug wordt gewassen, mijn tanden worden gepoetst. Ik hoef niets te doen, ik hoef alleen maar te liggen. Ik hoef niet eens te eten, een verpleegkundige brengt me astronautenvoeding, vloeibare maaltijden waarin alles zit wat een lichaam nodig heeft. Het astronautendrankje smaakt naar banaan. En nu weet ik het, weet ik het heel zeker: deze kamer is echt mijn ruimteschip, en ik ben op weg naar Mars. Op zijn minst naar Mars. Zelfs bij een gunstige constellatie van de omloopbanen gaat dat zeker een jaar duren. Of langer. Ik stel me daarop in, ik blijf.

7

Mijn bril is weer terecht. Ik zet hem op, kijk om me heen en zet hem weer af. Ik geloof dat ik het allemaal niet zo precies wil zien.

8

Ik vraag naar B. en krijg te horen dat hij er niet is, dat hij vakantie heeft. Een gastro-enteroloog komt de kamer binnen en vertelt hoe het is gelukt de varicesbloeding te stoppen. Er is een endoscopische bandligatuur uitgevoerd, dat wil zeggen dat er een slangetje in mijn bloedende slokdarm is geschoven met daarin een apparaatje waarmee elastische bandjes op de gesprongen spataders konden worden geplaatst, en zo zijn de bloedende spataders afgeklemd. Ik had geluk, deze techniek bestaat nog niet lang. Twintig jaar geleden konden ze bij zo'n bloeding vrijwel niets doen. Ik heb een paar liter bloed verloren, mijn hemoglobinewaarde is slecht en de leverwaarden zijn nog slechter, maar dat ligt ook aan de eiwitshock na zoveel bloed in mijn maag. Maar ik leef.

9

Een patiënt – ik kan hem niet zien, maar hoor hem door de open deur – beklaagt zich erover dat er in de kamer geen klokken hangen. Hij wil kunnen zien hoe snel of hoe langzaam de tijd verstrijkt. Of hij eigenlijk nog wel verstrijkt. En zo ja, in welke richting. Daar ben ik niet meer zo zeker van.

Van de intensive care word ik overgebracht naar de 'gastro', de gastro-enterologische afdeling. Hier liggen, ik moet er al snel om lachen, de gastronomen. De ochtend voordat hij ontslagen wordt, ligt er een kok bij mij op de kamer, na hem een kelner. De kelner somt alle Oost-Berlijnse kroegen voor me op: Truxa Bierbar, Bornholmer Hütte, Metzer Eck, Oderkahn en Trümmerkutte – die was destijds in de Kastanienallee, hoek Oderberger Straße, in het huis waarin tegenwoordig een copyshop zit, naar zijn zeggen echt een kroeg om door te zakken. Hij was ober in het Operncafé geweest, en als ober van het Operncafé – in de DDR waren kelners machtige mensen – kon hij overal drinken zoveel hij wilde. Voor niets. Nou ja, dat wreekt zich nu, zegt hij.

De kelner mag naar huis, nu ligt er een slager naast me. De slager is vijfenveertig jaar slager geweest, een heel lange tijd, heel veel worst. Ja, we hadden altijd goed te eten, zegt hij, honger hebben we nooit gekend. Maar zeker de laatste tien jaar had hij nog maar weinig plezier in zijn werk gehad; de slagerij waar hij vierentwintig jaar had gestaan, had de deuren moeten sluiten, daarna had hij in een worstfabriek gewerkt. Het spul dat hij daar had gefabriceerd, nou, hij zou het zelf nooit eten. Het afgelopen jaar is hij zestien weken opgenomen geweest. Hij heeft het al met veel mensen uitgehouden, we laten elkaar met rust.

Een van de verpleegkundigen komt de kamer binnen en zegt dat ze me komen ophalen. Ik moet naar de echo, maar mag

wel blijven liggen. Wat is de kliniek toch groot. Kilometers-
lange gangen, bijna alle gebouwen zijn met elkaar verbonden, onder de grond zijn er snelwegen voor bedden. Het
ziekenhuisbed is eigenlijk een voertuig, het heeft vier wielen, het is een ziekenwagen, ik lig en glij vooruit, word door
lange gangen gereden en een lift in gerold. Ik denk aan een
winkelwagen, daarna aan een kinderwagen, vandaag word ik
geduwd door een man uit Afrika. In de lift en in de door-
gang onder de Mittelallee, met boven ons de wortels van de
kastanjes, zingt hij voor zich uit. Ik vraag hem wat hij zingt
en in welke taal. Een taal uit Ivoorkust, zegt hij, en als ik
doorvraag, vertelt hij dat hij in Parijs geboren is, in het 19e
arrondissement, maar dat hij, hoewel hij zelf een Fransman
is, Frankrijk en de Fransen niet kan uitstaan. Hij heeft daar
achttien jaar gewoond, dat was genoeg, voor altijd, hij zegt
dat alles in het Frans.

Heb ik niet ooit in Parijs gewoond, in Barbès, rechts van
de boulevard Rochechouart, en ben ik elke dag over de markt
van Goutte d'Or gelopen? Ik lig, hij duwt. Ik zou hem graag
vragen, maar ik durf het niet, of hier al een keer een patiënt
gestorven is, onderweg.

12

Ben ik misschien toch al dood? Heeft dit alles helemaal niets
met mij te maken? Kijk ik alleen nog maar toe? Misschien
droom ik dit hier en nu alleen maar, en betekent gene zijde
in een bed liggen en je episodes uit je leven moeten herinneren, of ik nou wil of niet. Gisteren of eergisteren was mijn
begrafenis, misschien is die ook pas vandaag. Of morgen.

In de kamer word ik weer aan het infuus gelegd, ik hoor het niet, zie het alleen maar druppelen en kijk daarbij toe.

De slager vertelt dat hij vroeger honderdvijfenvijftig kilo heeft gewogen, hij heeft nu eenmaal altijd graag gegeten, altijd een lekker boutje, een lekker biertje, dat heeft hij er nu van, een vervette lever, dus nu wacht hij op 'n nieuwe. Hij heeft ascites, sleept steeds twee kratjes vloeistof in zijn buik met zich mee, komt kreunend uit bed, maar toch, hij kan nog opstaan. Ach ja, zegt hij, hoef ik ook geen langspeelplaten meer te kopen.

Die zin blijft in mijn hoofd rondgaan. Zal ik nog een langspeelplaat kopen? Is dat nog de moeite? Hoe lang duurt het tot het kind oud genoeg is? En hoe lang, ik vat 'langspeelplaat' opeens heel letterlijk op, heb ik eigenlijk al geen plaat, geen lp meer gekocht? Lp was ooit een belangrijke, heel vertrouwde afkorting, wie lp's kocht, destijds, toen muziek nog werd gekocht, was al bijna volwassen, lp-kopers hadden verstand van muziek, hadden de fase dat ze zich alleen voor afzonderlijke hits interesseerden en singles kochten, al achter zich. Een lp kostte geld, veel geld, bijna het zakgeld van een hele maand.

Bezoekers brengen bloemen mee, al snel ziet het eruit als in een bloemenzaak. Of als op een begrafenis. De bossen worden 's nachts niet meer buiten op de gang gezet, als kind heb ik dat in het ziekenhuis nog meegemaakt. De verpleegkundige die ik ernaar vraag, antwoordt dat ze al genoeg te doen hebben, en bovendien is het helemaal niet nodig. Zolang er, wat volgens haar veel belangrijker is, zo nu en dan gelucht wordt, krijgt iedere patiënt genoeg zuurstof.

16

Het kind komt me niet opzoeken, haar moeder denkt dat het beter is dat het me zo niet ziet. Ik kan haar geen ongelijk geven, ik zou mezelf zo ook niet willen zien.

17

Ik hou van het schone beddengoed. Het sloop en de lakens voelen hard en tegelijkertijd toch zacht en altijd schoon aan. Ik word verzorgd, ik word verpleegd, alles wordt voor mij gedaan, ik word geholpen, het gaat goed met me, het gaat steeds beter met me, ik ben gered.

18

Als mijn kamergenoot met koptelefoon op televisie kijkt, kijk ik soms mee en zie ik zonderlinge mensen die zonderlinge dingen doen, ik geniet van het geluidloze televisie kijken. Het beeldscherm hangt aan het plafond en kan bediend worden met de toetsen van de ouderwetse ivoorkleurige telefoontoestellen, die op onze nachtkastjes staan. Televisie kijken is hier trouwens geen onverdeeld genoegen, de monitor, een zware vierkante beeldbuis, is veel te hoog opgehangen, bovendien is het overschakelen moeizaam, voor elke verandering van programma moet een nieuwe, tamelijk gecompliceerde combinatie worden ingetoetst, waarna het beeldscherm donker wordt en donker blijft tot vier seconden later het gewenste programma opflikkert. En soms ook niet. Vier seconden kunnen zelfs in het ziekenhuis heel lang zijn, zo is zappen niet leuk meer.

19

Toen ik dertien was en een paar weken in het ziekenhuis lag, kwam mijn vader met onze kleine Sony aanzetten. Destijds had je nog geen televisie op de kamer, althans niet in het ziekenhuis waar ik patiënt was, en al helemaal niet op de kinderafdeling. Wie een klein, draagbaar toestel had, bracht het mee of liet het meebrengen. Dat van mij, uit de werkkamer van mijn moeder, eigenlijk veel te groot voor het nachtkastje, liet me zien hoe het ruimteveer Challenger explodeerde. Ik zag het telkens weer exploderen, steeds weer spatte het opnieuw uiteen, een vuurwerk, mijn eerste grote televisieramp – waarvan de beelden zich in mijn hoofd ook nu nog vermengen met die van de volgende grote televisieramp, het instorten van de Twin Towers. De torens vallen, het ruimteveer explodeert, en opeens heb ik het gevoel dat ik destijds op de kinderafdeling, toen de Challenger verongelukte, al wist dat het met die ruimtevaart een aflopende zaak was. Ruimtevaart was een toekomst van de jaren zestig, een toekomst van gisteren, die geen werkelijkheid werd. Niemand vloog meer naar de maan, niemand vertrok naar Mars.

20

Het bed is verstelbaar. Het gedeelte waarop ik lig, kan hoger of lager en ik kan het hoofd- en voeteneinde in een hoek zetten, maar ik mag het voor mezelf niet te comfortabel maken. Anders wil ik op het laatst niet meer opstaan.

21

Op zaterdagen is er alleen een eenpansgerecht, op zondagen geen bezoek. Op maandagen waait er een bedrijvigheid door de gang alsof het werk van de twee luie dagen daarvoor moet worden ingehaald. Verder verschillen de dagen niet erg van elkaar. Eenpansgerechten waren er ook in mijn jeugd, op zaterdag, erwten of linzen, de eenvoudige keuken, omdat mijn moeder op stap was of geen zin had om te koken.

Ik mag weer eten, maar ben nog heel voorzichtig. Voorlopig eet ik alleen gepureerd voedsel, ik ben bang dat ik me bij het slikken verwond. Misschien dat iets wat niet voldoende gekauwd is, een scherpgekante, te haastig doorgeslikte hap, weer een ader doet springen. Aan het bloed in mijn slokdarm wil ik liever niet herinnerd worden.

Ik voel het horloge om mijn pols, het horloge van mijn vader, dat zichzelf opwindt, ik merk dat het stil is blijven staan.
Op het horlogeglas zitten minuscule rode vlekjes, bloedspet-
ters zo te zien, ik krab ze eraf en beweeg mijn arm een paar
keer op en neer tot de secondewijzer weer aanspringt. Het
horloge doet het, maar geeft niet de juiste tijd aan. Soms, als
ik wat kracht overheb, beweeg ik mijn arm zodat het horloge
niet zo snel weer blijft staan. Ik heb dan het gevoel dat ik
naar iemand zwaai die er helemaal niet is.

Ik slaap in een buitencabine, in de scheepswand zit een pa-
trijspoort, ik zie water, veel water, soms komt er een eiland
voorbij, er doemt een duikboot op, een ijsberg drijft langs
of een eenzame zwemmer die al bijna heeft opgegeven. Dat
moet het verleden zijn.

Ik heb me ingescheept, ik ben aan boord, het gaat één
keer door mijn ziekenkamer, van het kussen naar het nachtkastje, van het nachtkastje naar de muurkast, van de muurkast naar de tafel, op de stoel, tot voor het raam, naar de
badkamer, naar de televisie aan de wand en verder. Ik ben
onderweg, in bed op reis, ik word voortgeduwd, de ziekte is
de grote reis, *le grand tour*, één keer naar de onderwereld en
misschien weer terug. Ziekte is vacante tijd, het is, heb ik dat
niet ergens gelezen, de reis van de armen.

Een blauwe hoek hemel boven in het raam, ik ruik de rozen op het nachtkastje en het schone, nog stijve beddengoed, de ingeweven bleekblauwe strepen bevallen me wel, de stof ligt glad tegen mijn huid. Mooie bloemen op uw nachtkastje, zegt de verpleegkundige, buiten stralend daglicht, wat iemand die hier niet ligt misschien helemaal niet opvalt. Zoals elke dag legt ze de manchet van de bloeddrukmeter om mijn bovenarm, sluit de klittenband – bloeddrukmeters, dat heb ik al gemerkt, hebben heel luide klittenbanden, ik verheug me al op het geluid als ze de sluiting zo meteen weer losmaakt – pompt met de bal in haar linkerhand de manchet op en laat vervolgens de lucht langzaam weer weglopen, ze heeft het eindstuk van de stethoscoop op de huid aan de binnenkant van mijn elleboog gedrukt, luistert en houdt de manometer in het oog. Eigenlijk heeft ze meer handen nodig, één voor de stethoscoop, één voor het reguleren van het ventiel van de manometer, één voor mijn arm. Ze heeft er echter, net als ik, maar twee.

Ik vind de aanraking prettig.

MIJN WITTE WALVIS

Na negen dagen mag ik naar huis. De appelmoes staat nog op de tafel, het bad biedt geen fraaie aanblik. Het kind is terug van haar reis, samen met haar moeder komt ze langs en is verbaasd, ze is nog maar drie, over die zwakke vader. Loop toch gewoon, zegt ze als ik opsta en één, twee, drie, vier passen probeer te maken. Zo moet je lopen, zegt ze en ze doet het me voor: rechtop, in een rechte lijn, met grote stappen. Een vader, herinner ik me, moet groot, sterk, onaantastbaar, zelfs onsterfelijk zijn.

Mevrouw Rutschky brengt een gebraden runderlapje, ik lig op bed, slaap veel, haal het nauwelijks tot de badkamer en kijk series, veel afleveringen, ik heb tijd. Ik zie *Six Feet Under* en *The Sopranos* en *Lost*.

Een week later bloed ik weer, ga weer naar het ziekenhuis, deze keer, het bloed sijpelt naar binnen, inderdaad met een taxi. Op de spoedeisende hulp raak ik buiten bewustzijn, weer een operatie, weer ligaturen, weer intensive care. Ik heb niet veel bloed meer, krijg twee zakken plasma.

25

Als ik wakker word, zie ik B. in mijn kamer staan. Hij lacht en feliciteert me: dat ik er nog ben, dat ik nog leef, is volgens hem toch een klein wonder. Hij praat door, ik luister, ik hou van zijn stem, ik ken die al lang, al vierentwintig jaar. En ik weet wat die stem zo meteen zal zeggen, ik weet dat ik weer op de lijst moet, ik moet terug op de wachtlijst voor een nieuwe lever, waarop ik al een keer, tot een paar maanden geleden, heb gestaan. 'Je moet weer op de lijst.' Ja, zeg ik, ik weet het.

26

Mijn waarden zijn slecht, ik moet in het ziekenhuis blijven.

Ik lig er een tijdje, verveel me en leer langzaam weer lo-pen. Aan de hand van een fysiotherapeute schuifel ik over de gang, ze spoort me aan mijn voeten op te tillen, niet zo te sloffen. Ik slof verder omdat ik haar nog een keer 'liever niet zo sloffen' wil horen zeggen, ook haar stem bevalt me. Aan haar hand wankel ik tot aan het einde van de gang en kijk ik, we staan naast elkaar, neer op de helikopterlandings-plaats, die gemarkeerd wordt door een grote H. Opeens heb ik de fantasie dat ik met haar, de knappe fysiotherapeute met haar lieve stem, daar beneden in een helikopter stap en de grijze hemel in vlieg, ergens heen, ik droom van de grote ontsnapping. Maar de fysiotherapeute zegt dat we weer ver-der moeten, terug door de gang, langs scheef ingelijste kalen-derplaten, die links en rechts aan de muur hangen: de Sel-jalandsfoss, een waterval op IJsland, de moais op Paaseiland en twee tafelbergen bij zonsondergang. Monument Valley, Utah, die dingen uit de sigarettenreclame en de westerns van John Ford. Het blad is in het passe-partout verschoven.

Aan het andere einde van de gang komen we bij een zit-groep, een tafel van wit draadwerk en drie stoelen, slechts twee ervan hebben een bekleding. Een witte orchidee – mis-schien van plastic? Nee, die planten zien er nu eenmaal zo uit – bloeit in een verder leeg rek. Nog altijd aan de hand van de fysiotherapeute, op haar naamplaatje staat dat ze Johanna heet, draai ik me om en wankel weer richting helikopterlan-dingsplaats. Aan de muur valt me nog een kalenderplaat op, het droomeiland Bora Bora, Frans-Polynesië, de kleuren van de foto zijn uitsluitend groen, turquoise en blauw. En ik zeg: Johanna, daar wil ik met jou naartoe.

Ik haal het weer – de derwisj noemt het leven een reis – tot in de badkamer. Dat toch maar wel.

De volgende dag mag ik zonder Johanna op de gang en bestudeer ik een brandblusapparaat, het hangt in een nis in de muur, waarin ook een heiligenbeeld zou kunnen staan. Over de hele gang strekt zich langs de muur een houten balustrade uit. Ik loop heel langzaam langs het materiaalwagentje, wondverband (steriel verpakt), rekverband, betadinezalf en wegwerphandschoenen liggen klaar. Daarachter staan twee lege, geheel met doorzichtig folie overtrokken bedden te wachten op nieuwe patiënten, onder folie blijven ze steriel en schoon. Ik manoeuvreer me om de bedden heen, hou me vast aan het hoofdeinde van een ervan en ben al weer bij de witte orchidee boven de zitgroep van draadwerk. Op de vensterbank ligt deze keer een *ZEIT-Magazin*, gisteren heb ik het niet gezien. Ik pak het, sla het open en lees een paar regels van een reportage over een grote vuilstortplaats in Caïro. Het nummer bevalt me, bevalt me beter dan anders, maar het heeft wel iets vreemds. Iets klopt er niet. De auto's waarvoor in paginagrote advertenties reclame wordt gemaakt, een nieuwe Saab bijvoorbeeld, zijn oud en vormloos, kleinere advertenties noemen firma's waarover ik lang niets heb gehoord. Bestaat Wang Computer eigenlijk nog wel? Ik kijk naar het titelblad en ben verbaasd: dit *ZEIT-Magazin* is verschenen in 1987. In 1987? Hoe komt het dan hier? In welk jaar zitten we nu? Ben ik misschien weer vijftien, veertien, dertien jaar?

Ik ben twaalf en heb buikpijn, ik heb vaak buikpijn, maar schenk daar geen aandacht aan. Op een keer, als ik met mijn vader met oud en nieuw op skivakantie ben, kijkt een arts, de vriend van een vriend van mijn vader, naar mijn buik, palpeert hem en ontdekt dat mijn lever opgezet is. Hij vindt dat ik thuis naar de dokter moet. Een week later stelt onze huisarts de diagnose leverontsteking, het gaat niet om een virale hepatitis a of b, maar het is ook geen hepatitis non-a-non-b, zoals de verschillende vormen van hepatitis c begin jaren tachtig nog heten. Ten slotte – ik lig intussen in Bonn in de universitaire kinderkliniek en heb meerdere puncties ondergaan – blijkt dat ik lijd aan een auto-immuunhepatitis, mijn immuunsysteem ziet lichaamseigen levercellen voor vreemd weefsel aan en vormt auto-immune antilichamen, die antilichamen veroorzaken de ontsteking in mijn lever. Waarom het immuunsysteem zich zo gedraagt, is tot op heden niet duidelijk.

Ik kijk uit het raam en sla OK-voorbereidingen gade op de eerste verdieping van het gebouw aan de overkant, twee vrouwen in groene OK-pakken staan in een vertrek met betegelde muren. Een van de twee trekt juist latex handschoenen aan, samen leggen ze al pratend de operatie-instrumenten klaar. Een paar ramen verder en hoger zie ik een witharige man in zijn kamer, hij zit voor het raam en kijkt naar buiten. We kijken waarschijnlijk naar dezelfde boom, de boom voor mijn raam, mijn boom, die ik de hele dag in het oog hou. Hij beschouwt hem als de zijne. Beneden, ik hoor een trapaslager piepen, komt een fietser in een overall voorbij, waarschijnlijk hoort hij bij het technische huispersoneel, hij zit op een vouwfiets. Het ziet eruit alsof hij voor zijn lol een fietstochtje maakt, hij trapt op zijn dooie gemak op de pedalen.

31

Ik ben twaalf, dan dertien, en mijn lever is kapot, waarschijnlijk was hij al langer ontstoken. Hoewel ik nog een kind ben, heb ik een lever als na vijftig jaar alcoholconsumptie, maar ook met een derde deel van mijn lever en heel matige leverwaarden kan ik verder leven, de waarden mogen alleen niet slechter worden, zegt B., mijn arts. Hij start een combinatietherapie met cortison en een immunosuppressief medicament, de ontsteking verdwijnt langzaam, de cirrose blijft. Het gaat goed met me. Het gaat goed met me, totdat de problemen met de bijwerkingen van de medicijnen beginnen. Ik krijg een vollemaansgezicht, de tiener die ik ben ziet eruit als een hamster, mijn gezicht is ronder dan dat van Helmut Kohl. Mijn huid wordt dun, mijn botten worden broos, ik heb osteoporose als een oude vrouw, krijg telkens weer peesschedeontstekingen en van de lichtste aanraking blauwe plekken. Ik ontwikkel groene staar omdat het cortison de oogboldruk verhoogt, ik moet oogdruppels nemen, waardoor mijn pupillen zo klein worden als speldenpunten, ik kan nauwelijks nog iets herkennen en zie eruit alsof ik heroineverslaafd ben. Ik word bijziend, krijg een bril en striae op mijn huid, tegen de bijwerkingen van de medicijnen slik ik steeds meer andere medicijnen, die zelf ook weer bijwerkingen hebben. Problemen heb ik de hele tijd alleen maar door de bijwerkingen van de medicijnen, alleen aan de bijwerkingen merk ik hoe ziek ik ben – dat is de zin die ik tegenover artsen telkens weer, al bijna dertig jaar, uitspreek. Ik neem mijn medicijnen, al drieëntwintig, vierentwintig, vijfentwintig jaar 's ochtends, 's middags en 's avonds, en neem de medicijnen tegen de bijwerkingen van de medicijnen. Soms, beeld ik me in, kan ik de farmacologische symfonie van mijn medicijnen in mij horen ruisen – hoe ze samenspelen, wat een heerlijk lawaai.

32

Mijn boom zwaait, hij zwaait met zijn takken. Hij zwaait in het morgenlicht en zwaait in de wind, in zijn kroon een zachte deining.

Beneden staat een tuinman en besproeit het grasveld, hetzelfde kleine schaduwrijke areaal als gisteren. Ik denk dat hij daar een nieuwe boom heeft geplant. Op de weg een kruiwagen met daarin een blauwe vuilniszak, verfrommeld, voor de helft gevuld.

33

Hier stokt de tijd, hij hoopt zich op. Eigenlijk zou ik chagrijnig moeten worden van zoveel tijd.

Ik ben vijftien, en door het cortison is mijn oogboldruk zo hoog dat hij om de twee weken moet worden gemeten. Maar in plaats van naar de oogarts te gaan met zijn praktijk meteen naast de school, ga ik liever naar de oogkliniek, heb ik weer een reden de school na het tweede of derde uur te verlaten, met de tram naar het centraal station te gaan en vervolgens via omwegen, meestal te voet, soms met de bus, naar de oogkliniek op de Venusberg. Ik heb een boek bij me, waarin ik meestal toch niet lees, en een notitieboekje, waarin ik niets opschrijf.

Ik ben moe. Ik ben, een bijverschijnsel van een zieke lever, permanent moe. Of is het, wie zal het zeggen, alleen maar een heel algemene vermoeidheid? Zoals die ook alle anderen soms overvalt. Misschien zijn alle mensen wel altijd zo moe.

De lever, mijn witte walvis, ligt groot en rustig en opgezet onder mijn rechter ribboog. Hij puilt duidelijk uit, maar ik voel hem niet. Zijn vermogen wordt maar langzaam minder, maar het wordt minder.

En verder, wat er ook gebeurt, hoe opwindend, buitengewoon, saai of onbelangrijk een dag ook is, ik vind minstens drie keer per dag de tijd om erover na te denken hoe fijn het zou zijn als ik dood was, hoe fijn het zou zijn om het water in te lopen, van een dak te springen of me een kogel door het hoofd te jagen, tenminste als ik een pistool had. En hoewel B. het me telkens weer verzekert, kan of wil ik niet begrijpen dat mijn ontstemming en zelfmoordfantasieën ook een fysiologische oorzaak hebben, mijn kapotte lever namelijk, die mij, hoewel ik hem er nooit de schuld van geef, want ik ben blij dat ik hem heb, in toenemende mate ook hindert me langer dan drie kwartier te concentreren of me ergens toe te zetten. Op dagen dat het niet zo goed gaat, beweeg ik me half in trance, op slechte dagen ga ik meteen na het opstaan weer naar bed en zie de wereld half versluierd door mijn voorstelling dansen.

35

Er komt een arts de kamer binnen die mij nog niet kent en me voor het eerst onderzoekt. Hij is verbaasd dat ik zo duidelijk met hem praat, hij zegt dat andere patiënten bij een vergelijkbaar hoge ammoniakwaarde heel verward zijn. Dat ben ik ook, denk ik, ik kan het alleen beter verbergen, na drieëntwintig, bijna vierentwintig jaar ben ik daar nu wel een beetje in geoefend, ik weet met mijn verwarring om te gaan, ik ben eraan gewend geraakt, maar, wie weet, misschien ben ik wel veel verwarder dan ik zelf voor mogelijk hou. Misschien is alles helemaal niet zoals ik denk dat het is. Wie weet waarheen mijn waarneming is verschoven. Welke waarneming zou dan de echte zijn? Bestaat die? Is wat ik zie en hoor en voel en denk helemaal niet de werkelijkheid? Is het misschien helemaal anders? Zie ik alles biochemisch getint? Verkleurd? Gebeurt alles om me heen eigenlijk wel?

Een gezonde lever, zo legt de arts me uit, zorgt ervoor dat ammoniak wordt afgebroken. Als er te veel ammoniak in het bloed zit, wordt het lichaam moe. En komt het op de vreemdste ideeën.

Dat klopt, ik ben moe. Ik ben altijd moe. Ik ben zo moe, tegen die moeheid helpt geen slaap. Ik woon nu in lalaland, het bevalt me, het is er mooi, aangenaam, al het onaangename is onzichtbaar geworden. Ik weet niet meer waar ik ben, en ook niet meer waar ik zojuist nog was, ik kom in een kamer en weet niet meer wat ik daar wilde. Of ik denk, heel duidelijk, zo is het, en die gedachte, verbeeld ik mij, wil uitgesproken worden, maar vervolgens kan ik haar niet uitspreken, ze ontpopt zich als een diffuus gevoel dat zich niet in klanken en tonen laat omzetten. Soms moet ik me alles wat ik zou willen zeggen als een geschreven woord voorstellen om het uit te spreken. Soms schrijf ik het dan echt op, ik heb immers een notitieblokje, maar wat was die gedachte ook weer? Ik ben het al weer kwijt. Weggegleden. Verzonken. In de vergetelheid geplonsd. Vaak stamel ik maar wat voor me uit, weet niet meer waarover het ging, zak weg. Toe, wek me toch, haal me hieruit.

Aan de arts kan ik het niet uitleggen. Toch probeer ik het, ik probeer hem te beschrijven hoe deze zelfvergiftiging aanvoelt, deze sluier over alles, deze verschuiving, deze faseverschuiving, soms is het bijvoorbeeld zo dat ik mensen hun lippen zie bewegen, maar hun stem pas veel later hoor, alsof het geluidsspoor van de werkelijkheid verschoven is. Ik probeer het uit te leggen, ik hoor mezelf praten en verbaas me er weer eens over hoe merkwaardig het klinkt, wat zijn dat eigenlijk voor klanken? Moeten die klanken iets betekenen? Wat is het toch eigenaardig om je eigen stem te horen, wat vreemd.

Ben ik wie ik ben alleen door de sluipende vergiftiging? Zou ik zonder ammoniak misschien heel anders klinken? Of ligt het aan de medicijnen? Ben ik wie ik denk te zijn alleen door de medicijnen? Zeggen ze niet: cortison maakt depressief? Zijn mijn gevoelens en mijn waarneming chemisch geinduceerd? Ben ik misschien helemaal niet de mens die ik meen te zijn omdat de medicijnen die ik al zo lang, al zoveel jaar slik, iemand anders van mij maken? Is wat ik voel en wat ik denk te zijn slechts het resultaat van een ziekte? Een ziektetoestand? Heeft mijn treurigheid niet gewoon chemische oorzaken, bepaalt de biochemie van mijn lichaam mijn gevoelens?

36

Als de arts de kamer uit is, sta ik op, wankel naar de kast op zoek naar kleren, kleed me aan en ga naar de bibliotheek op het ziekenhuisterrein. Ik ken deze bibliotheek, ik ben hier vroeger al eens geweest. Ik berg mijn jas op in een van de kluisjes, betreed de lichte, witte leeszaal, kies uit de open rekken een paar medische leerboeken, kijk onder de trefwoorden HEPAR en LEVER en begin te lezen. Ik lees dat de lever proteïne produceert en voor energie zorgt, glycogeen en vitamines opslaat, helpt bij het afbreken van vetten, giftige stoffen opruimt, de bloedstolling reguleert en infecties bestrijdt – aan de lever kunnen bijna vijfhonderd taken worden toegeschreven, ik volg de kruisverwijzingen, kom terecht bij vrijetijdsziekte, levercoma en de ammoniakhoudende encefalopathie, die tot bewustzijnsstoornissen, symptomen van delier en droomtoestanden kan leiden. Hier ben ik aan het goede adres, mijn droomtoestand begint me te interesseren. Is deze zwevende tussentoestand niet precies wat me aan het bestaan zo goed bevalt? Is de sluipende vergiftiging misschien het softfocusobjectief dat alles mooi maakt? Mijn Instagramblik?

De lever, zo lees ik verder, is lang een geheimzinnig orgaan geweest. Het was niet bekend waarvoor hij dient, deze grote klier, het zwaarste orgaan van het menselijk lichaam; bekend was alleen dat het verlies van concentratievermogen en de gele verkleuring van de huid door leverziektes veroorzaakt worden. Galenus en Hippocrates waren van mening dat de lever het centrum is van de lichaamsgeest, de plaats waar de lichaamstemperatuur ontspringt en ook de bron van het bloed.

De bron van het bloed? Het bloed stroomt er in elk geval doorheen, ononderbroken. Bovendien produceert de lever het galvocht, en ik begin me weer te interesseren voor de sappen van de antieke temperamentenleer, die al wist dat de lever iets met stemmingen te maken had. In de hippocratische traditie wordt melancholici aangeraden witte wijn te drinken, die zou goed zijn tegen de zwarte gal. Op het laatst, ik lees alles door elkaar, stuit ik op de these van enkele evolutiemedici die beweren dat melancholische toestanden een functie hebben, melancholie is immers bij alle culturen en volkeren, ook bij natuurvolkeren, bekend. Piekeren en nadenken schijnt een evolutionair voordeel op te leveren – omdat iemand soms, na een paar jaar ver achter in zijn hol, op de bank of hier, in het ziekenhuis, misschien toch op een goed idee komt?

Ik verlaat de bibliotheek en loop onder de roodbloeiende kastanjes terug naar de kliniek. Op de Mittelallee hoef ik mijn ogen maar half te sluiten en ik voel mij als op de campus van een Amerikaanse universiteit: ik heb een kamer in het studentenhuis en deel die met een medestudent. Alleen gaat het hier niet zozeer om de opvoeding van mijn geest, als om mijn lichaam. Daarmee wordt van alles en nog wat uitgehaald.

Ik heb, ik kan het niet ontkennen, een waterbuik. Ik draag vier, vijf, zes, zeven liter water met me mee, mijn navel puilt uit, ik kan hem naar binnen drukken, maar even later springt hij er weer uit. Ik heb een kinderbuik, een buik zoals twee- of driejarige kinderen hebben.

38

Zeus heeft Prometheus gestraft omdat hij de mensen het vuur heeft gebracht. Hij ketent hem aan een rots en laat een adelaar elke dag een stuk van zijn lever eten. Prometheus is geboeid, maar sterft niet, de mythe kent het verbazingwekkende regeneratievermogen van het orgaan. Leverweefsel groeit weer aan, wie had dát gedacht! Groei toch weer aan, lieve lever.

39

Het schijnt dat in het oude Rome toeschouwers soms probeerden een stuk van de lever van een dappere, in het gevecht gedode gladiator te bemachtigen: negen keer genuttigd zou gladiatorenlever epilepsie kunnen genezen. Jammer dat ik geen gladiator ben.

Naast mij ligt een drankhandelaar, ja, ik weet ook waarom hij hier is: drankhandelaars hebben veel te veel drank in huis. Telkens weer, heel ziek lijkt hij zich niet te voelen, staat hij op, gaat de kamer uit en heeft, vertelt hij mij, een ontmoeting met zijn liefje. Zijn vrouw en de artsen mogen daar niets van weten, ik moet zeggen dat hij in de tuin is gaan wandelen. Zijn vrouw komt 's zondags en brengt schone pyjama's mee. Zijn geliefde – hij kan het niet voor zich houden en moet het me wel vertellen, en ik heb niet meteen door dat hij daarmee indruk op me wil maken – heeft een nagelstudio in de Müllerstraße, helemaal niet ver van hier, hij heeft maar tien minuten nodig tot in haar achterkamer. Ik wil dat allemaal helemaal niet horen. Bij zijn leverprobleem, een beroepsziekte van groothandelaren in sterkedrank, komt nog zijn kapotte rug, aan zijn tussenwervelschijven is hij ook al geopereerd.

41

Zijn uitstapjes brengen mij op een idee. Na het zoals altijd in bed genuttigde avondeten sta ik op, kleed me aan, verlaat de kamer en de afdeling en neem de lift naar beneden. Ik ga naar de hoofdingang, stap in een taxi en rijd naar een etentje, een kennis heeft wat mensen uitgenodigd. Met z'n negenen zitten we vervolgens aan een grote tafel in diens woonkeuken, de uitgeefster van een kunsttijdschrift, zwanger, haar vriend, een recensente, een galeriehouder, een muzikante, een curatrice en een videokunstenaar. Er worden gesprekken gevoerd, over Oman als vakantieland, over de politieke situatie in Italië en over de voordelen en het effect van gemberthee bij een verkoudheid. Ik voel me als een gast in een televisieserie, als een figurant; niemand hier weet dat ik op het moment in het ziekenhuis lig, ik verklap niets. De nachtzuster merkt op haar eerste ronde, nu, op dit ogenblik misschien, mijn lege bed. Ik blijf twee uur, eet weinig, drink alleen water, neem afscheid, bestel een taxi en rijd terug naar de kliniek. Naar huis. Niemand die me op de gang ziet, de nachtverlichting is al aan, ik pak een waterfles uit de kast naast de theewagen, ga in de gemeenschappelijke ruimte zitten en zet de televisie aan.

Later, als ik weer in mijn bed lig, komt de verpleegkundige in het halfdonker de kamer binnen, controleert het infuus van mijn buurman, hangt een nieuwe fles op en leegt het urinaal. Zachtjes wenst ze ons goedenacht.

42

Studenten komen de kamer binnen en herinneren mij eraan dat ik in een academisch ziekenhuis lig, hier worden artsen opgeleid. Ik ben een interessant geval, kom hier, kijk naar mij, ik heb mijn optreden in bed, toekomstige doktoren, wat leren we vandaag? Kijk maar, herkennen jullie wat ik heb? Begrijpen jullie de tekenen en het schrift op mijn huid?

Jaren geleden, in 1992 of 1993, heb ik al een keer in een collegezaal voor studenten opgetreden, in een van B.'s colleges, als bewijs voor het feit dat een patiënt met een voor twee derde verwoeste lever kan leven. Ik zei een paar zinnen – dat ik me goed kon redden, dat ik zelfs een heel normaal leven leidde, dat ik er vaak dagen- of zelfs wekenlang niet aan dacht dat ik ziek was, en dat ik me maar heel zelden ziek voelde, dat deze ziekte voor mijn zelfbeeld geen of vrijwel geen rol speelde, hoewel ik natuurlijk elke dag, 's ochtends en 's avonds, medicijnen slikte – soms neemt hij ze trouwens niet, bracht B. ertegen in, wat ik tegensprak, hoewel hij misschien wel gelijk had. Waarschijnlijk was er ook toen al, ik wilde het alleen niet horen, sprake van een eventuele transplantatie, aan de studenten op de eerste rij, die hoogstens twee of drie jaar ouder waren dan ik, liet ik mijn onderarmen zien waarop ze *spider naevi*, spinnenkoppen, en andere tekenen van een leverziekte moesten herkennen, ze stelden vragen over symptomen zoals vermoeidheid of gele kleur. Ik vond het prettig daar te staan en mijn huid te tonen.

De studenten die nu hier in de kamer staan betasten mij, iets waar ik niets op tegen heb. Ze leren voelen en kloppen, ze leren ook zonder ultrasone golven zich een beeld van de inwendige organen te vormen, de grootte en ligging van mijn opgezette lever en bijbehorende galblaas te voelen, mijn milt. Nou ja, ik geloof dat ze het eigenlijk niet echt leren, hun wordt alleen getoond hoe het lange tijd gedaan werd en nog steeds gedaan zou kunnen worden als de stroom zou uitvallen, ze vergeten het vast weer snel, echt onderzocht wordt er dan toch alleen met de echo. Hier en daar zetten ze strepen met hun balpen, ze tekenen op mijn huid, en ik vind het prettig. Beleefd vragen ze telkens weer of ze hier en ook daar nog een keer mogen voelen. Ik laat hen hun gang gaan, verder word ik immers nauwelijks aangeraakt, wat telt zijn alleen mijn waarden, genezen door handoplegging is in deze kliniek en überhaupt niet meer gebruikelijk. Ik vond het fijn als B. me betastte, beklopte, beluisterde, jarenlang ging dat zo, een uitgestrekte wijsvinger op mijn buikwand en overal kloppen. Wat heeft hij daar eigenlijk gehoord?

Als ze weg zijn, bekijk ik de markeringen rond mijn navel, probeer ze te ontcijferen, maar kan niet lezen wat ze daar hebben achtergelaten. Morgen, denk ik, was ik het eraf, het geschrevene verdwijnt echter al eerder, een paar druppeltjes ontsmettingsmiddel, twee keer erover gewreven, en weg is het. Dan schiet me te binnen dat mijn optreden in die collegezaal voor B.'s studenten nog een naspel heeft gehad. Vier of vijf weken later, het was al zomer en het studiejaar was al bijna afgelopen, werd ik in Café Savigny aangesproken door een roodblonde vrouw, die zei dat ze me in dat college had gezien. Ze lachte en gaf toe dat ze het haast een beetje vervelend vond al zoveel over mij te weten, maar ik vond dat helemaal niet vervelend, integendeel. Ze vertelde dat ze over een paar dagen naar de Verenigde Staten, naar een of andere stad in het Midden-Westen zou vliegen om daar drie maanden in een ziekenhuis te werken. Ik kan me herinneren dat er nog een afscheidsuitstapje op volgde met haar vrienden naar een klein gat in Brandenburg, we kusten elkaar achter een grote rode bakstenen kerk aan een meer. Later keek ik altijd naar haar uit, maar ik ben haar nooit meer tegengekomen.

43

Een verpleegkundige komt de kamer binnen, voelt mijn pols, meet mijn bloeddruk. Net alsof mijn lichaam van haar is. In gedachte ga ik na wie er in de loop van mijn leven al aan mijn lichaam heeft zitten friemelen: mijn moeder, mijn vader, alle artsen en tandartsen met wie ik te maken heb gehad, kappers en kapsters, degenen met wie ik naar bed ben geweest. Personen die ik onbeperkt vertrouw of vertrouwd heb, die de pukkels op mijn rug hebben uitgeknepen, naast wie ik slaap, de fysiotherapeute, die mijn schouders masseert, het kind, met wie ik op het vloerkleed stoei. Maar dat was het dan ook. De meeste tijd had ik mij helemaal voor mezelf. Maar het lichaam dat hier in het ziekenhuis wordt behandeld, is niet langer het mijne. Ik heb het afgestaan, ik heb ondertekend, ik laat anderen hun gang gaan.

44

Op de afdeling ben ik de jongste, op andere plaatsen is dat niet langer het geval. Mijn kamergenoten zijn twee keer zo oud als ik, de drankhandelaar zou mijn vader kunnen zijn. En voor de verpleegkundigen ben ik, dat hoor ik verder niet vaak meer, de jongeman. Maar dat is, denk ik, gewoon Berlijnse ironie.

45

Met vijftien, zestien was het een van mijn lievelingsfantasieën om me mijn eigen begrafenis voor te stellen. Ik stelde me voor dat ik een zwem- of bootongeluk in scène zette en verdween, het meer waarin ik verdronken ben, zo moest het eruitzien, geeft mijn lijk niet meer terug. Ten slotte word ik na vergeefse zoekpogingen doodverklaard, ze gaan ervan uit dat mijn lijk in de diepe slik- en moeraslaag op de bodem van de Laacher See ligt. Terwijl ik via Spanje de wijk neem naar Latijns-Amerika, wil ik, een tegenstrijdigheid in deze fantasie, per se bij mijn begrafenis aanwezig zijn en van een afstandje en goed vermomd toekijken hoe mijn lege doodkist wordt bijgezet.

Ik was zestien, misschien ook zeventien toen B. beweerde dat ik mijn medicijnen niet had ingenomen, anders was de verslechtering van mijn waarden – want waarden waren altijd al alles, ze waren en zijn mijn leven – niet te verklaren. Dat klopt niet, ik heb de medicijnen wel degelijk geslikt, zei ik, maar helemaal overtuigd van mijn eigen woorden was ik zelf ook niet. Had ik misschien zo nu en dan een keer een pilletje weggelaten? En soms eentje vergeten? Of bij vergissing gedacht dat ik het al genomen had? Misschien heb ik af en toe opzettelijk het ene of andere pilletje weggelaten omdat ik van cortison, merknaam Urbason, als ik het niet snel genoeg doorslikte, altijd zo'n bittere nasmaak in mijn mond kreeg. Niet onmogelijk dat ik er soms eentje minder heb genomen of maar een half pilletje heb geslikt, hoewel ik een heel had moeten nemen, ik weet het niet meer precies, maar ik weet nog wel dat ik destijds vaak liever dood wilde zijn dan levend, omdat ik mij het dood-zijn veel gemakkelijker kon voorstellen dan het leven, dit leven dat misschien, maar misschien ook niet, nog voor me lag. Want ik had geen idee wat ik ermee moest aanvangen. En waar. En met wie. Zo veel, veel te veel mogelijkheden. Ik kon me veel gemakkelijker voorstellen er helemaal niet meer te zijn dan iets te worden. Leven is toch veel ingewikkelder dan dood zijn.

47

Ben ik soms hier om me alles weer te herinneren? Ik heb in elk geval alle tijd van de wereld.

48

48

Ik ben een keer van een bouwkraan gesprongen, negentig meter de diepte in, wel met mijn voeten aan een elastisch koord vast. Eerst Katja, mijn toenmalige vriendin, daarna ik. We zijn waarschijnlijk gesprongen omdat we allebei vonden dat er iets moest gebeuren en de sprong in het onbekende zochten. Waar Katja naartoe wilde weet ik niet meer, ik weet alleen nog dat ik er genoeg van had met mijn vader in het huis van mijn overleden moeder te wonen, ik had geen zin meer in school, geen zin meer in Bonn, ik had helemaal nergens zin meer in, ik zou het verwelkomd hebben als alles kapot was gegaan, ik had maar wat graag gezien hoe de Bondsrepubliek op de klippen liep en ten onder ging. De Bondsrepubliek ging echter niet ten onder, Helmut Kohl hoefde niet naar Argentinië uit te wijken, in plaats daarvan ging Honecker naar Chili, en de DDR verdween, ook geen groot verlies, maar andersom was me destijds liever geweest.

Katja en ik reden dus van Bonn naar Keulen, de hijskraan waar we vanaf wilden springen stond op een groot onbebouwd steenslagterrein in Chorweiler, omringd door flatgebouwen, geen fraaie omgeving, maar wel een met een heel eigen charme, de bouwkraan met arm rees honderdvijf meter in de lucht, we werden omhooggetrokken in een metalen kooi. Boven aangekomen ging de deur open, en wij moesten springen. We dachten toch binnenkort te moeten sterven, de kernoorlog, de nucleaire catastrofe stond immers vlak voor de deur. En omdat we er tamelijk zeker van waren dat de hele mensheid zichzelf weldra zou hebben uitgeroeid, konden we gerust al een begin maken met die zelfuitroeiing. Je een voorstelling te maken van de atoomdood, de apocalyps en de nucleaire winter was gemakkelijker dan je een toekomst voor te stellen, wat zou dat ook voor een toekomst moeten zijn, er was er immers geen. Dat alles om ons heen er binnenkort niet meer zou zijn, die gedachte was geruststellend en had iets troostends. Dat was allemaal helemaal niet zo belangrijk, eigenlijk waren we al dood, zeven-, acht-, negen-, tienmaal dood, hoe groot was de nucleaire overkill? Later is dat gevoel vervaagd.

En toen de sprong. Dat we daarvoor elk honderd mark betaalden, destijds heel veel geld, begreep niemand aan wie we erover vertelden. Maar drugs, zo zeiden we tegen elkaar, waren ook niet bepaald goedkoop. Ik liet me vallen, geen idee wie of wat in mij dat besluit nam, misschien, maar dat bedenk ik nu pas, ben ik Katja ook alleen maar achternagesprongen. Ze droomde ervan terrorist te worden, ze verafschuwde Helmut Kohl nog meer dan ik en ze verraste telkens weer met nieuwe plannen voor een aanslag, ze wilde proberen hem voor haar schoolkrant te interviewen, wilde bij een stoplicht voor de bondskanselarij bij hem in de auto stappen en hem bij die gelegenheid vermoorden – en ik viel. Ik viel, en ik vloog, ik vloog door de vrijste seconde die ik tot dan toe had meegemaakt, een adrenalinestoot, elke keer weer als ik eraan denk.

49

Ik kijk naar het zuiden, tot aan het voeteinde van mijn bed, de deken is naar boven geschoven, ik zie mijn tenen en tel ze, alsof ik moet controleren of ze er nog allemaal zijn. Ik ben opgelucht, er is er geen een af gevallen. Ik herinner me dat ze een hele tijd geleden een keer blauwgelakt waren. Ik tel mijn tenen opnieuw en stel me voor dat buiten de Stille Oceaan

ligt en net als in 1996 of 1997 bevind ik me in een hotelkamer in Acapulco, wat had ik daar ook al weer gebruikt? Een
nacht en een dag lang spookte de gedachte door mijn hoofd:
wat heeft het allemaal voor zin als ik nu toch moet sterven?
Waarom besta ik überhaupt? Waarom bestaat een mens
überhaupt? Heb ik het elke dag al die jaren uitgehouden alleen om nu in een hotelkamer, uitgerekend in Acapulco, te
sterven? Terwijl het me eigenlijk duidelijk was of duidelijk
had moeten zijn dat ik in die nacht, niemand wist waar ik
was, zeker niet dood zou gaan, zo snel ga je niet dood, ik had
het alleen heet, en ik zweette en had heel erge dorst, die met
drinken niet overging. Het was waarschijnlijk meer het idee
dat me zo verontrustte en tegelijkertijd fascineerde, het idee
dat ik aan een kust van de Stille Oceaan zou kunnen sterven.
Zo ver weg.

50

Gelooft niet vrijwel iedereen dat hij al een keer gestorven is?
Dat is geen exclusieve ervaring, integendeel, het schijnt tot
de schat aan ervaringen van iedere volwassene of bijna-vol-
wassene te behoren om minstens al één keer op een haar na
te zijn gestorven. Is het misschien een teken van volwassen-
heid?

En het klopt ook, meestal tenminste. Bijna iedereen is
al ooit bijna overreden, bijna verdronken in een grote golf
aan zee, in een rivier, bijna was het vliegtuig waarin hij zat,
neergestort of met een ander in botsing gekomen. Zelfs in
vredestijd is leven achteraf gezien alleen maar overleven – een
wonder dat alle mensen om je heen er nog zijn, bijna waren
ze allemaal al gestorven. Vrijwel iedereen heeft zo'n verhaal te

vertellen, en velen beschouwen het als een groot geluk dat ze overleefd hebben, tot aan deze zin, nu, hier. Eén keer oversteken zonder naar links en naar rechts te kijken, één keer bij het ramen lappen niet opgepast, één keer in de auto je ogen dichtgedaan, een paar seconden, en het is voorbij. Bomen of brugpijlers staan overal.

51

Neem nou Julia. Dat ze nog leefde, was een wonder, en ze straalde dat op een geheimzinnige, onbewuste wijze uit. Van blowen bij het kamperen op haar dertiende was ze via cocaine bij de destijds veel te gemakkelijk verkrijgbare heroïne uitgekomen. Ze had het gewoon willen weten, ze had gezocht, en heroïne was de grote, de grootste vervulling geweest, er bestaat niets groters, vergeleken bij heroïne is alles klein, daarna kan er niets meer komen, alleen nog een keer heroïne. In haar ergste periode sliep ze een halfjaar in een open kelder en reed overdag in de tram rond, van het ene eindstation naar het andere, natuurlijk zonder kaartje, de controleurs vroegen haar al niets meer, ze wisten allang dat ze geen kaartje had, wisten dat het zinloos zou zijn haar daarop aan te spreken en al helemaal om een proces-verbaal op te maken, voor haar zwartrijden zou ze hoe dan ook niet opgesloten worden. Misschien, zei ze, hadden ze ook gewoon medelijden met de junkie die ze was.

Voor haar toenmalige vriend stond ze bij het inbreken op de uitkijk, en ze hielp hem gestolen goed af te voeren, twee- of driemaal waren het huizen waarin oud-klasgenotes met hun ouders woonden, huizen waarin ze al een keer was geweest, ze wist soms zelfs waar de sleutel voor de kelder lag – wat het inbreken wel zo gemakkelijk maakte. Een deel van de buit, die meestal niet in één keer afgevoerd kon worden, verstopten ze in een bosje, later moest ze dan weer een trenchcoat aandoen met een zijden sjaaltje en, verkleed als het meisje van stand dat ze eigenlijk ook was, af en toe gaan kijken of niet iemand hen dwarszat.

Op een dag lag ze na een overdosis met een hartstilstand in het ziekenhuis, het scheelde maar een haar, zo vertelde ze, ze heeft dat vaak verteld, of ik was er niet meer geweest. Vier dagen lag ze op de intensive care, maar toen, op de vijfde dag, trok ze de infuusnaald uit de ader, van naalden en aders wist ze het nodige, stond op en verdween, maar niet zonder uit een van de open kasten in een van de andere kamers nog een portemonnee mee te nemen. Ze wist dat niemand haar echte naam kende, documenten had ze niet, en tot dan toe was het haar gelukt te doen alsof ze zich niet kon herinneren hoe ze heette. Ze had geen ziektekostenverzekering meer en wilde vermijden dat haar ouders voor de kosten van haar verblijf in het ziekenhuis moesten opdraaien, een twijfelachtig gebaar gezien het feit dat ze hun bankrekeningen al meermalen met valse cheques had geplunderd. Eigenlijk wilde ze alleen maar weg hier, ze had stuff nodig.

Nee, dan ik met mijn aanvallen van zelfmedelijden, meestal na een bezoek aan het speciale spreekuur in het ziekenhuis. De ziekte, waarvan ik verder niet veel of helemaal niets wilde weten, waaraan ik niet eens dacht als ik, geheel automatisch, 's ochtends, 's middags en 's avonds mijn medicijnen innam, stond daar dan plotseling, heel groot en niet over het hoofd te zien. Een-, twee-, driemaal per jaar kwam ze met alle geweld terug, ging voor me staan en bracht het inzicht, de zekerheid: Ja, je gaat dood, vroeg of laat, misschien over één of twee jaar, misschien ook pas over vier of vijf jaar. Maar vier jaar is geen lange tijd meer, het interval tussen twee wereldkampioenschappen voetbal – vroeger als kind een kleine eeuwigheid – gaat inmiddels snel voorbij.

Ik heb het gevoel dat ik op die dagen van zelfmedelijden achter de fictie van de onsterfelijkheid keek, achter het gordijn dat voor de afgrond links en rechts van alles hangt: op een dag is het voorbij, de aarde krijgt ons terug, toch blijft ze draaien, ook zonder ons.

53

B. heeft het altijd doen voorkomen alsof het helemaal niet zo erg was. Hij heeft het nooit met zoveel woorden gezegd, maar zijn boodschap was: het gaat met jou, het gaat met u – op een gegeven moment ging hij u tegen me zeggen – nog best goed. En het ging goed met mij. Ik heb gedaan wat ik wilde, ik ben de halve wereld rond en naar het oerwoud gereisd. Zolang ik maar genoeg medicijnen bij me had.

54

Vanuit mijn bed zie ik de krachtcentrale langs het kanaal met de schoorstenen in de lucht, ik tel ze, het zijn er nog steeds vier. Ik zou kunnen opstaan, hoef alleen maar het infuus af te klemmen. Ik zou kunnen opstaan, mijn badjas aandoen, de gang op lopen, de lift naar beneden nemen en de uitgang zoeken. Ik zou het ziekenhuisterrein via de zuidelijke uitgang kunnen verlaten, de straat oversteken en de Föhrerbrug op of ook gewoon langs de oever lopen en in het water springen. Ik zou – het water is immers koud genoeg, in koud water gaat het sneller, maar dan moet ik weer aan het kind denken, hoe het 's ochtends bij het wakker worden altijd lacht en zo aanwezig is, voor haar moet ik, of wil ik eigenlijk nog een paar jaar blijven. En toch, ik weet niet waarom, zou ik vandaag liever dood zijn. Of een regenworm. In mijn volgende leven wil ik een regenworm zijn.

55

Steeds weer hoor ik: U moet drinken, heel veel drinken. Drinken wordt in het ziekenhuis een taak. Hebt u al gedronken? Hoeveel glazen? Het aantal glazen wordt genoteerd. Eenmaal per week moet ik ook gedurende vierentwintig uur bijhouden en optellen hoeveel vloeistof er uit mij naar buiten vloeit, elke druppel urine, elke stoelgang, elke temperatuursverandering wordt hier geregistreerd. De map waarin dat alles wordt vastgelegd, wordt 'status' genoemd.

Het verplegend personeel raffelt steeds dezelfde communicatieve riedels af, telkens weer hetzelfde stuk in wisselende bezetting, alles is zo al duizend keer gezegd, opgevoerd en opnieuw begonnen, het stuk – nooit een verandering in het repertoire – heet *Afdeling 22*. Temperatuur, bloed, ontlasting, elke ochtend hoor ik: Wat hebt u mooie aders, dat is prettig prikken. Vooruit, prik maar, alstublieft, mijn armen zijn de uwe. 's Avonds, de dienstdoende arts heeft helaas niet goed geprikt, zit er een blauw duivenei aan de binnenkant van mijn elleboog. Ik weet het, als de prik zelf geen pijn doet, is er slecht geprikt.

Het ziekenhuis is een huis van verhalen, steeds weer nieuwe verhalen, iedere patiënt brengt er een mee. En dus luister ik, wat kan ik ook anders, luister naar de allengs onverdraaglijker wordende lijdensgeschiedenissen, over wat ik heb, hoe ik lijd, waar ik daarmee al geweest ben, wat de artsen wel of niet gedaan hebben en wat ze verkeerd hebben gedaan. En wie uiteindelijk toch geholpen heeft. Ik luister naar het patiëntenkoor, het koor van de getransplanteerden: Ik heb al twee alvleesklieren gehad – ik heb nu mijn derde nier, mijn eerste nier heeft twee jaar gehouden, de tweede één maand, en nu de derde, als het deze keer niet lukt, kap ik ermee, geen dialyse meer, nooit meer dialyse, dat heb ik bij mezelf gezworen – ik had een wandelende nier, die zat als een klomp onder mijn navel – ik ben hier voor de negende keer en ben al twee keer dood geweest, de kanker heeft zich door de alvleesklier heen gevreten, en toen hebben ze mijn halve lever weggesneden – ze hebben me al vier keer opengemaakt, de wond wil maar niet genezen – morgen mag ik naar huis – misschien mag ik overmorgen naar huis, in het weekend zullen ze me wel niet hier houden – misschien word ik volgende week ontslagen – misschien nog één week – nog twee of drie weken – nog een paar dagen. Zo hoor ik hen zingen en zing zelf, dat blijft niet uit, allang mee. Binnen de kortste keren ken ik alle coupletten.

57

En, wat heeft jou hier gebracht? Kom, nieuwe kamergenoot, vertel me jouw verhaal. En dat van mij, hoe gaat dat? Wat als dat hier is afgelopen? Plotseling, ik lig hier maar en heb de tijd, veel tijd om daarover na te denken, zie ik van hieruit zoiets als een leven. Moest het eerst bijna voorbij zijn om dat op te merken?

Mijn nieuwe buurman zou ik ook een heel ander verhaal kunnen vertellen, in twee, drie zinnen snel samengevat. De volgende buurman, als hij er al naar vraagt, vertel ik weer een ander verhaal. En daarna, de daaropvolgende keer, ook.

58

Een verpleegkundige komt de kamer binnen en zegt dat ik naar de röntgen moet. Alweer? Ben ik niet al vaak genoeg doorgelicht? Hebben de artsen me nog steeds niet doorzien? De motgatnecrose? De portale hypertensie? Een medewerker van het patiëntenvervoer rijdt me de kamer uit en over de gang naar de lift, we gaan omlaag naar het souterrain en door zwak verlichte gangen naar de afdeling radiologie.

In de röntgenkamer geeft de arts me een rubberachtig kunststof hoesje en zegt dat ik het over mijn scrotum moet trekken. Maar alleen de testikels erin stoppen, zegt ze en ze laat het me zelf doen, zo worden mijn geslachtsklieren tegen de stralen beschermd. Ik geloof haar, ik moet haar wel geloven daar op de tafel in het halfdonker, en ineens bekruipt me het vermoeden hoe sensationeel het vroeger geweest moet zijn, eind negentiende eeuw, toen de eerste röntgenfoto's werden gemaakt en het menselijk lichaam, het per se donkere, zich opeens liet doorlichten, het niet-doorzichtige doorzichtig werd.

De radioloog, ik heb haar gezicht eigenlijk niet goed gezien, schuift wat met het apparaat dat aan het plafond is bevestigd, verandert instellingen aan de beweegbare arm met camera, die als een industrierobot in de ruimte steekt. Ik ben er niet echt bang voor, maar stel me voor dat die arm een eigen leven zou kunnen gaan leiden en ons beiden, de arts en mij, met een spervuur van stralen met een zeer hoge stralingsdosis zou kunnen uitschakelen of ook gewoon doden. Behalve het beschermhoesje voor mijn scrotum geeft de radioloog me nog een loodschort – die hele beschermende uitrusting herinnert me eraan hoe gevaarlijk het is röntgenfoto's te laten maken. Röntgenstralen zijn killerstralen, moet ik nu denken, en op de foto's, die merkwaardige halftransparante folies, zal ik zo meteen te zien zijn als het spook dat ik misschien al ben, ja, röntgenfoto's moeten zoiets zijn als dodenbeelden op voorhand, want in al hun diffuse duidelijkheid verraden ze wat eigenlijk pas na de ontbinding te zien zal zijn, als er dan überhaupt nog iets te zien is.

59

Op een keer, herinner ik me, ik was vijf, bijna zes jaar, ben ik bij het rolschaatsen gevallen, ik gleed uit en viel naar achteren op mijn rechterarm, die daarbij brak. Ik rolschaatste naar huis om mijn arm, die inmiddels pijn deed, aan mijn moeder te laten zien. Ze liet me in de kelder een kort plankje halen, zó lang, zei ze, en ze hield haar handpalmen ongeveer twintig centimeter uit elkaar. Ik wist niet wat ze daarmee van plan was, maar bracht haar zo'n plankje, we hadden er honderden in de verwarmingskelder liggen, restjes van de planken waarmee de muren van de sauna en van de speelkelder waren bekleed, ze lagen te wachten om in de kachel te worden opgestookt. Mijn moeder legde mijn rechteronderarm op het

plankje en omwikkelde beide met een zwachtel. Na de eerste
zwachtel wikkelde ze verder met een tweede en spalkte zo
mijn arm. Daarna pakte ze de autosleutels van het sleutel-
bord, nam me mee naar de auto, deed op de achterbank de
veiligheidsgordel bij mij om, wat ik met één arm niet meer
kon, en reed naar de radioloog, wiens praktijk direct naast
mijn latere school lag. Leerlingen die tijdens gymnastiekles
letsel opliepen, hoefden nooit ver te gaan, van de gymzaal
waren het maar een paar passen. Alleen gekneusd, zo luidde
de diagnose in de meeste gevallen, maar die avond bleek dat
mijn arm gebroken was. Ik kreeg een gipsverband en liep
daar drie weken mee rond, op het eerste moment voelde het
op mijn huid vochtig en warm aan, later jeukte het alleen
nog.

60

En alweer komt er een dienblad met eten. Of ik wacht on-
geduldig en veel te lang, of het komt te vroeg. Je beklagen
over het eten behoort tot de ziekenhuisfolklore, zeggen dat
het heerlijk heeft gesmaakt is voor de verpleegkundige zo'n
sensatie dat ze het meteen naar beneden naar de keuken wil
doorbellen. Ze zegt: Daar zal de kok blij mee zijn, dat krijgt
hij niet elke dag te horen.

61

Later zegt ze weer: Op de weegschaal, even wegen, meneer
W., gaat u maar op de weegschaal.

Dat wil ik ook wel, ik zou het ook doen, maar de weg

naar de weegschaal is zo ver, ik haal het niet. Zeg ik, terwijl ik gewoon te lui ben.

Op de weegschaal gaan, elke ochtend, dat is een hele klus, daar ben ik mooi mee opgezadeld. Toch heb ik allang door dat het de verpleegkundigen er alleen om te doen is mij mijn bed uit te krijgen. Het gaat erom de patiënten zo vroeg mogelijk te mobiliseren. Hoeveel ik weeg, doet er niet zoveel toe.

En weer niet aangekomen.

En dan lig ik op mijn bed, dwaal wat in mijn gedachten rond en ook een keer dwars erdoorheen. En verdwaal in mijzelf.

62

De nachtzuster wenst ons goedenacht, maar ik weet al dat ik weer lang wakker zal liggen. Mijn buurman kreunt, komt met moeite uit zijn bed, staat op en waggelt naar het toilet, acht of negen keer per nacht, maar dat stoort mij niet. Ik lig niet langer hier in bed, ik zit in een nachtbus die over een weg door Mexico rijdt op weg naar Mazatlán in Sinaloa, een havenstad aan de Stille Oceaan, Gloria's opa woonde daar, in een tochtig, enigszins vervallen huis uit de jaren dertig, direct aan zee. Aan de muren in de gang en in de woonkamer hingen foto's van zijn stieren en affiches van de corrida's waaraan hij had deelgenomen, zijn naam stond steeds op de eerste of tweede plaats, hij moet in Mexico een bekende stierenvechter zijn geweest. Ik slep in een logeerkamer, Gloria, die, hoewel ze helemaal niet dik was, door iedereen altijd *la gorda* werd genoemd, sliep met haar moeder in een ander gedeelte van het huis, haar vader, die in Mexico-Stad was gebleven, mocht niet weten dat ik er was. 's Ochtends gingen we naar het strand, 's middags aten we verse krabben met chili en citroen in een van de strandhutten, die eruitzagen alsof ze van drijfhout in elkaar getimmerd waren. We dronken koffie of verse kokosmelk uit een kokosnoot, die de man van de strandhutten met zijn machete had geopend, Gloria's opa hield van gebak uit de *pastelería*. Jaren later, Gloria was inmiddels getrouwd en had twee kinderen, vertelde ze me dat hij nog lang naar mij had gevraagd.

63

Het wordt licht, en ik zie de gezonde mensen zich fris gedoucht naar hun werk spoeden, de niet-uitgeslapenen en degenen met een ochtendhumeur min of meer treuzelend voorbijkomen. De verpleegkundige komt de kamer binnen en zegt: Goedemorgen, hebben we de temperatuur al opgenomen? Dat zegt ze in elke kamer, elke dag.

64

Met een andere nachtbus ging ik naar Guanajuato, de stad die bekendstaat om haar zilvermijnen en mummies. Ik had een Mexicaanse literatuurgeschiedenis gekocht, een soort schoolboek waarin ik tijdens het avondeten op de *plaza* het stukje las over de non en dichteres Juana Inés de la Cruz en iets over Juan Rulfo's *Pedro Páramo*. Ik genoot van het gevoel dat niemand in Europa wist waar ik was.

Het hotel waar ik mijn intrek had genomen, was in de jaren twintig van de vorige eeuw gebouwd voor de mijnbouwmaatschappij, sindsdien was er nauwelijks iets veranderd, de kranen in de badkamer, de lampen en meubels stamden nog uit die tijd, een van de twee kranen boven de wasbak ging niet meer dicht, het water liep dag en nacht. Twee keer bracht ik een bezoek aan het museum met de mummies, dat Gloria's opa me had aangeraden, boven op een berg midden op een begraafplaats, met nog veel hogere bergen eromheen. Bij de mummies in dit museum ging het strikt genomen helemaal niet om mummies, maar om vroeger normaal begraven lijken die in de droge, met zilverzouten verzadigde bodem gewoon niet tot ontbinding hadden kunnen overgaan, ze waren alleen maar verdroogd, de aarde had ze gefixeerd en geïmpregneerd in de houding waarin ze begraven waren. De jongste doden, die rechtop staand achter glas getoond werden, waren een kleine veertig, de oudste honderdvijftig jaar geleden gestorven. Allemaal waren ze naakt omdat hun kleren waren vergaan, alleen de twee jongste doden droegen nog sokken – die waren van kunstvezel en daarom niet verteerd.

65

Ik heb, daar moet ik nu natuurlijk aan denken, ook mijn moeder nog één keer gezien, in het mortuarium van het ziekenhuis waar ze is overleden. Ze lag op de tafel, een lichaam dat me kleiner voorkwam dan ik het me herinnerde, het leek niet erg op mijn moeder, ik had de indruk dat ze gekrompen was. Mijn vader was met mij naar dit ziekenhuis gereden, op minstens één uur over de snelweg bij ons vandaan, een medewerker van de kliniek had ons in het souterrain door een labyrint van gangen geleid, de deur naar het mortuarium voor ons opengedaan, de juiste tafel aangewezen en het laken dat over mijn moeder lag, teruggeslagen. En was weer weggegaan. En daar stond ik dan, twaalf jaar oud, een jongen in een blauwe duffelcoat voor het stoffelijk overschot van zijn moeder, en ik dacht: dat kan mijn moeder niet zijn, de spullen die ze aanheeft zijn haar veel te groot. Ik weet dat er nog minstens twee andere doden in die ruimte lagen, onder hun lakens waren van hen alleen contouren te zien. Het hoogste punt, de top van hun tenten van lijklaken, vormden de neuzen.

66

Een arts komt met studenten de kamer binnen, hij was hier gisteren al om mijn toestemming te vragen. Ik moet nog een keer vertellen hoe het allemaal begon: kort voor één uur 's nachts kom ik van Café Haliflor naar huis, Christiane brengt me met de auto, hoewel het maar een paar meter is tot voor het huis, ik blijf nog in de auto zitten, ze vertelt over het idee voor een soloplaat, ten slotte nemen we afscheid, ik stap uit, zwaai haar na en ga de trap op naar mijn woning, ga in de keuken zitten, lepel, alleen omdat ik thuiskomhonger heb, wat appelmoes en heb plotseling een raar gevoel in mijn keel. Ik ga naar de badkamer, buig voorover naar de waterkraan, wil een slokje drinken en voel dat ik moet overgeven – maar zo uitvoerig vertel ik het de studenten natuurlijk niet, ik hou het kort, vermeld het bloed dat in het bad–

Dank u, dat is voorlopig genoeg, valt de arts me in de rede, vandaag in zijn rol als docent. En hij vraagt in de rondte: Wat is er eigenlijk gebeurd?

Stilte, aarzelen, het zwijgen van leerlingen, dat ken ik. Tot een studente haar hand opsteekt en zegt: Is het een bloeding van de varices?

Ik ben opgelucht. Ook deze toekomstige medicus, donker haar, lippenstift, haar mond bevalt me, zou hebben geweten wat er gedaan moest worden, had me een zoutoplossing gegeven, had me gered. En ze weet ook dat in dit stadium, Child Pugh B, alleen een transplantatie mij nog kan helpen.

De anderen vragen nu: Hepatitis c?

Nee, auto-immuunhepatitis, zeg ik, chronisch-agressieve auto-immuunhepatitis.

Zoiets krijgen ze niet elke dag te zien.

67

Appelmoes. Eigenlijk hou ik helemaal niet van appelmoes, meestal is het veel te zoet. Wat een geluk dat appelmoes niet mijn laatste maaltijd was. Als kind heb ik ooit tegen mijn moeder gezegd toen we tomatensoep aan het eten waren: Ik hoop dat tomatensoep het laatste is wat ik in mijn leven zal eten. Ik moet daar altijd aan denken als er ergens tomatensoep wordt gegeten. Sindsdien eet ik geen tomatensoep meer, ik geef het toe, ik ben bang voor tomatensoep, ik probeer het te vermijden om tomatensoep te eten, noem het dunne tomatensaus of eet na tomatensoep steeds heel snel nog iets anders. Tomatensoep eten is me te gevaarlijk, want niet lang na onze laatste gezamenlijk gegeten tomatensoep was mijn moeder dood.

Ik zie een tuintractor voorbijkomen met een aanhanger vol buitenasbakken, die eruitzien als twee met de punten op elkaar geplaatste kegels. ROKEN VERSTIKT stond er vroeger op de affiches van het ziekenfonds. Maar eigenlijk verstikt een roker alleen de peuken van zijn sigaretten. De staande asbakken van grijs eterniet of van een ander soortgelijk ouderwets materiaal zijn blijkbaar, ik kan dat van hierboven af nog net zien, voor het komende rookseizoen met nieuw zand gevuld.

Zon en schaduw in de ziekenhuiskamer.

69

Mijn buurman begint opeens te vertellen. Hij zegt dat hij hier vijftig jaar geleden met dertig man op één zaal heeft gelegen, de verpleegkundigen hadden zwachtels verdeeld om op te rollen, verbandmateriaal werd destijds nog gewassen en hergebruikt, zo hadden ze altijd iets te doen gehad. Tegenwoordig belandde alles, maar dat zag hij ook liever, bij het vuilnis. Daarna valt hij in slaap, hij snurkt, maar dat stoort mij niet. Ik ben van wal gestoken, ik drijf op mijn vlot, ik ben mijn eigen eiland, drijf over mijn oceaan, ver weg naar de archipel Ergens, een cruise door mijn ik en dit ziekenhuis.

70

Hoeveel dagen lig ik hier al? Eigenlijk had ik streepjes op de muur moeten zetten. Vier naast elkaar, een vijfde er schuin doorheen. De verpleegkundige zegt dat er patiënten zijn die hun halve huisraad meebrengen, ze zegt dat op een toon alsof ze zich daarover vrolijk maakt. Sommigen gebruiken hun eigen hoofdkussen en handdoeken, ik heb niet eens een eigen pyjama bij me, want die zou ik dan moeten wassen. Ik hou van elke dag een schoon nachthemd, ik ben het nachthemdenspook, rechtop in bed, alleen de slaapmuts ontbreekt.

71

Ik zou graag een klein lampje hebben. Het licht boven het bed is te fel, ik wil mijn buurman niet wakker maken. Daarom luister ik maar naar de radio, later het nachtconcert van de ARD, tot het me opvalt dat ik naar een uitzending luister die ik 's middags al heb gehoord, BBC World Service. De maan schijnt door het raam naar binnen, het ziet eruit als op een schilderij van Caspar David Friedrich. Ongelooflijk, denk ik, dat iemand naar de maan is gevlogen. Op een dag zullen ze zeggen dat dat een sprookje is.

Plotseling, het is drie uur, landt er een helikopter in de idylle, 's nachts maken helikopters nog veel meer herrie dan overdag. Daarna is het weer bijna helemaal stil, de sterren stralen, ik kan niet slapen en hoor hoe een infuusstandaard over de gang wordt gereden.

Misschien val ik toch nog in slaap.

TOEN DE KINDEREN SLIEPEN

Nog twee-, drie-, vier-, vijfmaal worden er nieuwe elastische bandjes om de spataders in mijn slokdarm gelegd. Telkens weer wordt de buigzame metalen slang door de bijtring in mijn slokdarm geschoven. Ik moet die slang inslikken, daarbij moet ik boeren, er ontsnapt lucht uit mijn maag, en de braakneiging, de aanhoudende, nauwelijks te onderdrukken braakneiging komt op. Maar dan begint gelukkig meestal ook de verdoving te werken. Het slaapt heerlijk met propofol.

Ik slaap en word slapend naar mijn kamer teruggereden, ik slaap mijn roes uit. 's Avonds, wakker geworden uit mijn narcoseslaap, zit ik in de gemeenschappelijke ruimte met de glazen wand aan de gangkant. Ik drink water uit een tetrapak en eet beschuit, in mijn mond verandert de beschuit in een weke, zoete brij, die smaakt alsof het manna is. Ik stel al minder hoge eisen, slikken doet nog pijn.

Terwijl ik beschuit op mijn nachthemd kruimel, kijk ik naar de kleine tv die op de patiëntenkoelkast staat. Ik zie een film, vermoedelijk van Dario Argento. Zo nu en dan loopt er een verpleegkundige over de gang, een van hen zwaait, ergens staat de deur naar een ziekenkamer open, om de twee, drie minuten hoor ik een grommend gekreun, een gekreun dat eerst in een zacht gehuil en vervolgens in gejammer overgaat. Eigenlijk past dat heel goed bij de film, ook al kan ik die niet echt volgen. Onder de reclameblokken schakel ik over naar *Halloween Resurrection*, een patiënt in een psychia-trische kliniek draait door en begint de verzorgers te doden. De kreten uit de televisie en het gekerm dat via de gang tot me doordringt, verontrusten me niet. Ik ben nog niet echt wakker.

Een grote, forse vrouw komt binnen, schuift haar infuus-standaard in mijn richting. Of ze even bij me mag komen zitten. Nog voordat ik 'ga uw gang' kan zeggen, heeft ze al plaatsgenomen en vertelt haar verhaal. Ik luister naar haar of ook niet, terwijl ik naar het scherm staar, mooie, opwin-dende, in elkaar overlopende kleuren, ik zie vooral de kleur rood, er zit nog steeds propofol in mijn bloed. Ik hoor een jammerstem, die komt uit die reusachtige vrouw naast mij, ze wacht, zegt ze, op haar tweede lever, beter gezegd op haar derde als ze die van haarzelf meetelt. Ze vertelt uitvoerig over haar buren, die haar niet mogen, over de arts, die haar niet begrijpt, en over haar vriend, die haar verlaten heeft omdat ze zo dik is geworden.

Bovendien vertelt ze het verhaal van een man die al lang op een nier wacht, thuis uit het keukenraam kijkt en aan de overkant een ambulance ziet staan – de buurman heeft zelfmoord gepleegd. Twee uur later zou hij gebeld zijn en te horen hebben gekregen dat er een geschikt orgaan voor hem was. Sindsdien meent hij de zelfmoordnier van zijn buurman in zich te hebben.

73

Op de gang knikken wij patiënten elkaar toe. We kennen elkaar van de ochtendoutfit. Ik zie wat patiënten zo allemaal aanhebben. Er zijn privépyjama- en ziekenhuisnachthemd-

dragers. En er zijn patiënten die in joggingbroek of trai-
ningspak op of in hun bed liggen omdat ze om het halfuur
moeten gaan roken. Langzamerhand leer ik te onderscheiden
tussen er slecht uitzien richting genezing en er slecht uitzien
richting einde. Aan mijzelf kan ik jammer genoeg niet zien
waarnaar mijn slecht eruitzien tendeert. Voor de spiegel ben
ik blind.

74

Mijn nieuwe kamergenoot, een bouwvakker, is geen prater.
Hij heeft al vaak in het ziekenhuis gelegen. Op een gegeven moment, ik weet helemaal niet waarom of hoe ik daarop
gekomen ben, zeg ik dat een ziekenhuis altijd nog beter is
dan een gevangenis. Hij schrikt even, ik merk dat hij een
ogenblik nadenkt, maar dan begint hij te vertellen over zijn
twee jaar in een DDR-gevangenis, een vervelende geschiedenis: na een knokpartij in de tram, waarbij hem en zijn twee
vrienden politieke motieven werden toegeschreven, twee jaar
de bak in. Twee jaar met z'n drieën in een tweepersoonscel.
Zonder wc, enkel met een emmer die maar één keer per dag,
's avonds, werd geleegd. Toen hij weer vrijkwam, vlak voor
de bouw van de Muur, was hij naar het Westen gegaan, ik
heb nog geluk gehad, zegt hij, veel geluk. Eén jaar later, en ik
zou nog achtentwintig jaar opgesloten zijn geweest. Hij zegt
natuurlijk op z'n Berlijns 'jeweest'.
　　Daarna was hij als bouwvakker begonnen, had 's winters ook wel als taxichauffeur gewerkt, maar er werd volop
gebouwd in West-Berlijn. We hebben altijd goed verdiend,
royaal vorstverlet, en de Berlijn-toeslag. Die heb je nu niet
meer. Hij heeft nog meegebouwd aan de Kottbuser Tor en

heeft in het NZK, het Neues Zentrum Kreuzberg, de vloer gelegd, in een complex dat ik vroeger erg lelijk vond, maar nu wordt er al anders tegen die bouwwerken aangekeken. Ik vertel hem dat die gebouwen op hun manier nu weer mooi worden gevonden, dat er zelfs clubs en bars in zitten, Möbel Olſe bijvoorbeeld, vernoemd naar de oude lichtreclame op het dak, West-Germany, Südblock en Paloma Bar.

Jaargang 1930. Hij vertelt ook, maar pas als ik ernaar vraag, over het einde van de oorlog in Berlijn, over de luchtoorlog, over de nachten in de bunkers en over zijn oom, die met een klaplong in de schuilkelder zat en eruitzag, zegt hij, alsof hij sliep, terwijl hij dood was. In maart 1945 heeft hij zich toen vrijwillig gemeld als lid van de Hitlerjugend, heeft de laatste vesting S-Bahnring mee verdedigd, twee schoolkameraden van hem zijn alsnog omgekomen, de een in de Schönhauser Allee, de ander in Friedrichshain, maar zelf is hij op wonderbaarlijke wijze de dans ontsprongen.

75

Er liggen twee mannen in een kamer, er gebeurt niets. Zo nu en dan zeggen ze iets tegen elkaar, kletsen wat. De een vertelt over vroeger, omdat hij al heel veel vroeger achter de rug heeft, hij vertelt over het einde van de oorlog in Berlijn. Met regelmatige tussenpozen komen er vrouwen binnen en vragen hoe het staat met de stoelgang, of de maaltijdkaarten al zijn ingevuld en de medicijnen ingenomen. Misschien is het absurd theater.

Ik kan niets doen, ik hoef niets te doen, hier ben ik het kind, ik mag, ik zal, ik moet, ik kan alleen maar liggen. Als ik iets nodig heb, bel ik, en als mijn wensen niet buitensporig zijn, worden ze vervuld. Verder, daarbuiten in de werkelijkheid, functioneert dat niet zo goed.

77

De boom voor het raam heeft nauwelijks nog bladeren. Beneden rijdt een veegmachine voorbij. Aan de voorkant zit een roterende borstel, die het loof van de stoep veegt. De bladeren van de kastanjes moeten bij vijfenzestig graden gecomposteerd of met een laag aarde van minstens tien centimeter bedekt worden, anders overleven de larven van de mineermotten de winter. Hoor ik mijn buurman zeggen.

Later praat hij met de hoofdverpleegkundige over tuinbouwbedrijven, het kweken en verzorgen van bomen en het opruimen van bladeren. Ze zegt dat ze vierentwintig zakken bladeren uit haar tuin heeft laten weghalen. Dat klinkt nogal opschepperig.

Een vogel landt op een van de uiterst dunne takjes in de kruin. Zonder bladeren zien bomen er zo breekbaar uit, vreemd dat het takje waarop de vogel zit niet breekt. Wat is het eigenlijk voor een vogel? Een kraai?

Ik lig in een reusachtig ruimteschip, de verpleegkundigen zijn goed geprogrammeerde zorgrobots. Maar als robots zich al zo goed laten programmeren, waar heeft het ruimteschip ons dan nog voor nodig? Zijn wij patiënten-passagiers niet allang overbodig? Waartoe worden we in leven gehouden, gevoerd en gewassen? Waarom laten ze ons niet inslapen zoals de zieke hond van onze buurvrouw – destijds, toen dat gebeurde, ik was toen zes, hoorde ik die uitdrukking voor het eerst. 'Laten inslapen', dat viel me als kind al op, klinkt veel waardiger en fijngevoeliger dan 'doden'.

79

De deur van de kast staat op een kier, ik zie mijn bruine weekendtas. Vaak ben ik met die tas op pad geweest, in elk geval heb ik hem ver gedragen, hij is in Italië, Spanje en Frankrijk geweest, altijd over mijn schouder.

Wat heb ik eigenlijk bij me? Ik heb al lang niet meer in de kast gekeken. Maar waarom staat de kastdeur dan open? Ben ik er toch geweest, of heeft iemand aan het slot gezeten? BIJ ONTSLAG SLEUTEL IN SLOT LATEN A.U.B. staat er op het kaartje dat op de kastdeur is geplakt. Ik heb het al vaak gelezen, wil het nooit meer lezen, wil het nooit meer hoeven lezen, maar alles wat ergens geschreven staat, moet ik lezen, vaak zelfs hardop, een reflex die ik niet kan uitschakelen.

Ja, ik zal hem laten zitten, de sleutel. Ik wil helemaal geen ziekenhuissleutel mee naar huis nemen. In de kast bevindt zich een kluisje voor waardevolle spullen, daarin ligt mijn portemonnee, die ik hier niet nodig heb. Als ik de kamer uit ga, berg ik ook mijn iPod en mijn mobieltje in het kluisje op, er wordt hier helaas nogal eens gestolen, waarschuwt de verpleegkundige. Volgens de bouwvakker is het ook al voorgekomen dat er een sleutelbos door het ziekenhuispersoneel is ontvreemd en een woning in alle rust is leeggehaald. En als om zijn verhaal kracht bij te zetten leest hij me twee dagen later een stukje uit de krant voor:

Een 37-jarige Weense afdelingsarts, die na werktijd in huizen van patiënten had ingebroken, heeft een gevangenisstraf van drie jaar gekregen. 'Al in mijn studententijd heb ik gepokerd, de inzet werd steeds hoger,' zei hij tijdens het proces. Om te kunnen blijven spelen ontvreemdde hij huissleutels, en als hij die niet vond, maakte hij gebruik van een koevoet. Hij stal sieraden, contant geld, staven goud, creditcards en munten, en hij werd pas gepakt toen hij een woning binnendrong waar er iemand thuis was. Hij probeerde te vluchten, maar kon overmeesterd worden.

Waar is mijn sleutelbos eigenlijk? Ik heb hem al een hele tijd niet gezien. Ligt hij soms in de kast? In het kluisje? Vroeger heb ik hem elke dag meerdere keren in de hand gehad.

80

Graag zou ik nu beneden, vlak langs het water, het jaagpad aflopen, langs de krachtcentrale en onder de nieuwe, hoge spoorbruggen door, die naar het centraal station leiden, steeds langs het kanaal, onder de hoogspanningsleidingen boven het groene, dichtbegroeide oeverpad achter de Föhrerbrug, langs de grijsgroen geschilderde spoorkraan, die kolen uit de vrachtschepen baggert, over roosters, dwars door een zwerm mussen en onder woekerende esdoorns en hemelbomen, berken en wintereiken door tot aan de monding van de Panke, wat strikt genomen slechts een zijarm van de Panke is, pittoresk drijft in haar spaarbekken het afval rond. Maar Prometheus ligt geboeid op zijn steen, de adelaar komt aanvliegen, duikt omlaag en eet van zijn lever.

81

Deze week ligt er iemand naast me die geen woord zegt. 's Morgens zegt hij geen goedemorgen en 's avonds geen goedenacht, ik zeg ook niets meer. Niet dat het me echt stoort, het ergert me even, maar laat me dan verder koud. Ieder is in zijn eigen wereld.

82

Wanneer heb ik verder nog met voor mij geheel onbekenden in één kamer geslapen? In een hostel in New Orleans? In een jeugdherberg in Straatsburg? Ik herinner me een kletser die de halve nacht verhalen vertelde, herinner me een Chileen in Chicago, die mij in Berlijn wilde komen opzoeken, herinner me nachttrein-, nachtvlucht- en nachtbuskennissen. En dus ook de blonde Zuid-Afrikaanse die ik in Oaxaca leerde kennen, we waren met z'n vieren onderweg, een Française uit Lille, een Amerikaan uit Oregon, de blanke Zuid-Afrikaanse, die in Londen woonde, en ik. In San Cristóbal de las Casas huurden we paarden, gingen uit rijden en wachtten, hoopten eigenlijk zelfs door zapatisten te worden overvallen, we hadden onze contributie aan de revolutie, de zogenaamde revolutiebelasting, graag voldaan. Subcommandante Marcos met zwart masker en pijp was destijds een popster, die bewonderaars uit de hele wereld naar de Selva Lacedemonia lokte. We werden niet overvallen en maar twee keer door het Mexicaanse leger gecontroleerd. Na drie dagen in San Cristóbal namen we de bus naar Palenque, dwaalden twee dagen tussen de ruïnes, voordat we naar de watervallen van Agua Azul reden, we moesten een flink eind door het oerwoud lopen, ik had nog nooit zo'n turquoise water gezien. De Zuid-Afrikaanse, ze heette Saskia, lakte mijn teennagels blauw, ze was uit een of ander boerengat in Transvaal naar Engeland gevlucht, we spraken Engels met elkaar, maar haar dagboek en haar gedichten schreef ze in het Afrikaans. Als ik naar haar zomersproetengezicht keek, had ik steeds dat hier-en-nu-gevoel, nu was ze hier, op dit ogenblik, op deze plek, ergens in Mexico, ik had toch ook op duizend andere plekken kunnen zijn, maar hier waren wij elkaar tegengekomen. Het moest dus, tenminste dat dacht ik destijds nog, wel iets betekenen.

83

Een medewerker van het patiëntenvervoer reed me weer over de gang, de aan een stuk zwachtel geregen sleutels van de kast en van het kluisje liggen onder mijn kussen. Ik zou ze als een vriendschapsbandje om mijn pols kunnen binden, of ze bij me dragen zoals de Iraanse kindsoldaten, die toen ze naar de Iran-Irakoorlog moesten goedkope, uit blik gestanste sleutels aan een halsketting hadden hangen. Ze moesten geloven dat die sleutels de poorten naar het paradijs openden. Ik herinner me dat alleen omdat mijn moeder me dat toen, tijdens

de Eerste Golfoorlog, heeft verteld. Waarschijnlijk wilde ze
me duidelijk maken hoe goed ik het had. Maar als tien- of
elfjarige heb ik dat niet begrepen.

84

Ik moet naar de MRI. Er wordt weer eens naar mijn lever
gekeken, naar de motgatnecrose en naar de schaduw op het
weefsel, een nog niet erg groot zwart plekje waar ik weet van
heb sinds B. me op een dag heeft verteld dat bij de laatste
van de regelmatig uitgevoerde controle-echo's een anomalie
in het leverweefsel was ontdekt. Het zou, zei hij, een lever-
celcarcinoom kunnen zijn, maar heel zeker valt dat bij een
door cirrose al zo verwoeste lever als de mijne helaas niet
te zeggen. Nu ook nog leverkanker? Ik wilde het niet geloven.

Nu lig ik op deze plank, die over rails loopt, en glij de cir-
kelronde opening binnen, glij naar binnen als een doodkist
in de verbrandingsoven van een crematorium, glij de schacht
in, naar binnen in de buis. Van straling is niets te merken –
het is ongevaarlijk, zegt de arts, een opgewekte vrouw met
roodblond haar, het is alleen maar een pulserend elektrisch
veld, dat de bipolaire watermoleculen in het lichaam ertoe
brengt zich telkens weer te richten, en die minimale beweging levert informatie, die tot beelden kan worden verwerkt.
Aha.

Ik lig in de oven en word gebakken, dadelijk ben ik gaar.
Begrijpelijk dat er patiënten zijn die deze engte niet bevalt en
die in claustrofobische toestanden terechtkomen, voor hen
is er een kleine rode noodknop. Er loopt een contrastmiddel
in de ader van mijn arm, en ik vraag me af of de arts met

de MRI-scanner ook mijn gedachten kan lezen, of op haar scherm misschien te zien is wat mij bezighoudt en wat er in mij omgaat, wat ik denk, wat ik voel. Weet ze nu hoe geweldig, hoe opwindend, hoe fantastisch ik haar vind? Hoe haar opgewektheid, haar lichte huid, haar haar en haar zomersproeten me bevallen? Zou ze niet, overweeg ik vervolgens, een paar originele gedachten en een ander verleden op mijn harde schijf kunnen zetten? Een nieuw besturingssysteem, een nieuw bewustzijn? Of maakt ze juist een kopie van me en slaat die op om alles wat ik ben, al die onsamenhangende herinneringen en merkwaardige gevoelens, later te analyseren? Om na te gaan of het eigenlijk wel de moeite loont om mijn leven te verlengen?

85

Alhoewel, dat is toch al beslist, ik ben al geëvalueerd. Hier in dit ziekenhuis hebben ze uitgezocht of het lichaam waarin ik zit een transplantatie ook aankan. Gedurende twee weken ben ik van alle kanten doorgelicht, is er in elke opening van mijn lichaam gekeken, ik heb een endoscopie ondergaan, heb een echo gekregen, ben door de CT getrokken, door de MRI gehaald. Er zijn röntgenfoto's van mijn poortader en leveraders gemaakt, zodat de chirurgen op de dag van de transplantatie, op dag x als ze mijn buikwand openen, weten waar en hoe ze moeten snijden. Mijn botdichtheid is gemeten, er heeft een consult plaatsgevonden met de tandarts, met de kno-arts en een psychosomatisch consult. Dat heeft vast heel veel gekost, aan elke specialist hier heb ik me voor moeten stellen, ik ben op de ene afdeling na de andere geweest, voor iedereen bracht ik mijn lichaam mee.

Ik herinner me de uroloog, die mijn prostaat onderzocht, rectaal toucher, twee mooie woorden voor vinger in je reet. Vanuit urologisch standpunt was er niets tegen een transplantatie, zei hij, bovendien kreeg ik te horen dat ik voorbeeldige testikels heb. Wat fijn.

Ik herinner me de cardioloog, een nog jonge promovendus, die bij de hartecho een afwijking vond, een kleine onregelmatigheid in mijn hartslag, om welke reden hij een hartpas voor me opstelde, die ik voortaan bij me moest dragen. Overigens relativeerde hij zijn diagnose door te zeggen dat ik me nu eenmaal goed liet echoën, bij mij kon hij vrijwel alles zien, terwijl bij veel andere patiënten de golven eerst door twintig centimeter vet moesten, zonder een beschermende vetlaag viel er gewoon meer te herkennen en bijna altijd wel iets te vinden.

Ik herinner me de psycholoog, die ik bekende dat ik niet altijd wist waarom ik me eigenlijk zou laten opereren, misschien, zei ik, is het wel de bedoeling dat mijn leven niet zo lang duurt, dat ik nog maar kort kan blijven. Natuurlijk, voegde ik eraan toe, wil ik er ook in de toekomst voor mijn dochter zijn, meestal tenminste, maar vaak lijkt me dat alleen maar een truc, de kindertruc dus, waarmee ik mijzelf wil overhalen om te blijven. Ik weet nog dat ik op dat moment begon te huilen, in haar kleine behandelkamer, ook voor haar raam stond een kastanjeboom. Ze schreef me een antidepressivum voor, een selectieve serotonine-heropnameremmer, een medicament dat ik nu eens nam en dan weer niet omdat ik me inbeeldde die depressie nodig te hebben.

En ik herinner me een afspraak bij de anesthesist, die me uitlegde wat er op dag x gaat gebeuren. Ik luisterde niet goed naar haar, staarde, terwijl ze sprak, naar de literaire scheurkalender op haar bureau, op het blaadje van die dag stond een afbeelding van Peter Handke. Als het telefoontje komt, zei ze, mag u niets meer eten, een ambulance of, afhankelijk van waar u zich op dat moment bevindt, een helikopter komt u ophalen om u naar het ziekenhuis te brengen, naar afdeling 21i, de operatie zal waarschijnlijk, als er zich geen complicaties voordoen, een uur of zes, zeven duren, misschien ook langer.

86

Misschien ook langer. Wie weet. Ik kijk naar de noodknop, maar waarom zou ik erop drukken? Ik herinner me immers alleen die merkwaardige, bijna twee weken durende keuring, waar ik uiteindelijk doorheen kwam zonder ervoor geleerd, zonder iets daarvoor gedaan te hebben, ik was gewoon geslaagd. Dan trekt de opgewekte roodblonde arts me uit de buis en zegt: Klaar.

87

Ik moest nog een handtekening zetten. De chirurg, demiurg, hoofd van de transplantatiekliniek, wilde me zien en spreken, wilde me zelf bekijken en keuren voordat ik zou tekenen. Hij stond voor me, een gezond ogende, zongebruinde, tamelijk sportief overkomende man van eind vijftig, monsterde me en zei: U maakt helemaal niet de indruk van iemand bij wie ik een nieuwe lever zou moeten transplanteren. U ziet er veel te gezond uit. En daarmee formuleerde hij precies de twijfels die ik zelf ook had. Ging het niet te goed met mij? Kon ik niet gewoon zo doorgaan? Maar toen keek hij in mijn status, zag mijn bloedwaarden, veranderde van mening en nam afscheid, hij had niet veel tijd.

Kort daarop zat ik op een gedenkwaardige namiddag alleen in een halfdonker vertrek zonder ramen naast het transplantatiebureau. Voor mij op tafel lag een stapeltje papieren, het contract in drievoud, alle pagina's dichtbedrukt. Ik zat daar en moest mijn handtekening zetten. Ik moest verklaren dat ik ermee akkoord ging dat op een dag, liefst zo snel mogelijk, misschien over vijf weken, misschien over zes maanden, misschien over twee jaar, misschien helemaal niet meer omdat ik voor die tijd gestorven ben, een orgaan eruit gesneden en een ander, nieuw orgaan erin gezet wordt – maar wat betekent 'nieuw' eigenlijk, nieuwe organen zijn altijd gebruikte organen, organen van doden, dacht ik en ik probeerde de tekst van het contract op de bladzijden te lezen, wat me niet lukte, ik zag alleen maar letters en woorden en kon niet achterhalen hoe ze bij elkaar pasten of wat ze zouden moeten betekenen. Ik doorvloog de tekst, merkte dat ik alleen maar deed alsof ik las, maar hield mijn vulpen wel in de hand.

Ik was mij bewust van de absurditeit van deze situatie. Wanneer, dacht ik, kan een mens nou met een handtekening beslissen over al of niet verder leven? Een paar keer had ik huur- en koopcontracten moeten ondertekenen, ik was al vaker bij een notaris geweest, maar nu, dacht ik, ging het om meer. Met mijn handtekening kon ik eventueel levensjaren kopen zonder te weten of en hoeveel en in welke munteenheid ik wanneer voor die verlenging zou moeten betalen. En opnieuw werd ik overvallen door de angst dat ik, mocht de operatie lukken, te gezond kon worden, dat ik niet meer ziek genoeg zou zijn, niet meer degene die ik was. Mijn hand voelde klam aan, bijna nat, zweette ik zo erg? Nee, mijn hand was blauw, en zat onder de inkt. De vulpen, die ik al jaren altijd bij me had, de vulpen, zonder welke ik nooit het huis uit ging, was gaan lekken, uitgerekend op deze middag. Wilde hij niet ondertekenen?

88

's Morgens, 's middags, 's avonds, 's nachts. Dagzuster, nacht-zuster, bezoek, dienstdoende arts, ontbijt, middageten, avondeten, 's zaterdags een eenpansgerecht, 's zondags geen bezoek. Meer heb ik met de tijd niet te maken, er heerst ge-lijktijdigheid. Hier is er een podium waarop ze dansen, de Zuid-Afrikaanse, Julia, die niet van de heroïne afkwam, Kat-ja, met wie ik van de kraan ben gesprongen, de studente ge-neeskunde van het college. Wat is het voor een stuk? Ballet?

Alles wat is geweest, beweegt zich op deze dansvloer, niets ligt meer voor of achter mij, hier danst alles door elkaar, hier wordt voor mij gezongen, een grote opera, hier zing ik, alles is binnen handbereik en toch ongrijpbaar.

89

Ik sta weer op de lijst, verzamel wachttijd. Met elke dag stijgt de waarschijnlijkheid dat ik doodga, elke dag is een dag dich-ter bij de dood. Maar elke dag, en dat is de ironie van de lijst, wordt ook de kans groter om te overleven – alleen moet iemand anders eerst sterven. En ik weet het wel: als jij niet sterft, dan sterf ik.

Toch denk ik daar helemaal niet elke dag aan. Ik denk er niet aan dat dag x elk moment zou kunnen komen. 's Avonds, als ik naar bed ga, en 's morgens, als ik wakker word, denk ik er niet meer aan, ik heb trouwens toch geen zin er altijd aan te denken, maar ik weet dat op een dag of een nacht de telefoon misschien overgaat. Wil ik dat jij doodgaat? Nee, ik wil niet dat jij, waar je je nu ook ophoudt, overreden wordt. Of door een voorruit tegen een boom vliegt. Ik wil niet dat er een aneurysma bij jou scheurt, ik wil niet dat jij hoe dan ook om het leven komt. Niet echt.

Toch scheur ik overlijdensberichtjes uit de krant, ze stapelen zich op, ik doe ze in een map. Op de map staat: 'Toen de kinderen sliepen'.

In chocola

Vincent S. (22)
uitzendkracht in een snoepfabriek in Camden, New Jersey
viel vrijdag
met een zak cacao op zijn schouders
van het werkplatform
in een drie meter diepe ketel
warme chocola

en stierf
door de roerarm
aan zijn hoofd getroffen
collega's hadden
vergeefs geprobeerd

de machine
te stoppen.

De ram

Een 29-jarige vrouw uit Simbach
kreeg tijdens een wandeling door de stad Braunau
een de dag tevoren ontsnapte
in paniek voor een naderende trein
van een spoorwegbrug springende ram
op haar hoofd
de vrouw

kwam met kneuzingen en blauwe plekken
in het ziekenhuis
waar zij
(moeder van twee kinderen)
zaterdagavond
onverwachts
overleed.

Waterfles

In een bejaardenhuis in Gelsenkirchen
wordt een 86-jarige man ervan verdacht
een 90-jarige medebewoonster
met een waterfles
te hebben doodgeslagen
een verzorgster
ontdekte de zwaargewonde vrouw

in haar bed

ze stierf

voordat de arts arriveerde

de bejaarde verklaarde

zich niets

te kunnen

herinneren.

Lazy Boy

Daniel Webb (33)

340 kilo zwaar

bezweek aan hartfalen

toen brandweerlieden probeerden

hem uit zijn leunstoel

(model Lazy Boy)

te snijden

vanwege knieproblemen

had hij de afgelopen negen maanden

met doorligplekken

en in zijn

eigen uitwerpselen

in die stoel

doorgebracht

Hadden ze ons meteen

de juiste medische zorg geboden

dan was dat niet gebeurd zegt zijn vrouw

zij en haar man

hadden tevergeefs

geprobeerd
een ziektekostenverzekering af te sluiten.

Toen de kinderen sliepen

Een 34-jarige vrouw
bekende voor de rechtbank van Augsburg
haar 46-jarige echtgenoot
hondengeleider bij de politie
doodgeslagen
en zijn lijk
in stukken gezaagd te hebben

op 23 januari was ze tegen vijven
gewekt door het huilen van haar zoon
naar de woonkamer gegaan
waar haar man weer eens
een ruzie was begonnen
Ik kon het niet meer aanhoren
ben helemaal doorgedraaid

toen haar man op haar af kwam
had ze een metalen buis van de vensterbank gepakt
en toegeslagen hij was
achteruit op de bank getuimeld
Toen hij overeind wilde komen
heb ik nog een keer geslagen
en nog een keer

de obductie leverde op
dat door de kracht van de klap

bij het slachtoffer
de halswervelkolom gebroken
en de schedel
verbrijzeld was
bang

dat haar kinderen het lijk van hun vader zouden zien
had ze de dode naar de bijkeuken gesleept
het huis schoongemaakt
en beide kinderen dochter en zoon
naar de kleuterschool gebracht weer thuis
had ze de benen
van het lijk afgesneden

Ik wilde hem
het huis uit hebben
ik begreep
niet goed
wat ik had gedaan
ik wilde er niet meer
aan herinnerd worden

's avonds toen de kinderen sliepen
had ze de stukken van het lijk naar de auto gedragen
en was weggereden
van de torso had ze zich
op ruim zes kilometer van haar huis
op een akker ontdaan
de benen echter

in eerste instantie in de kofferbak van haar auto
vergeten zodat ze

ongeveer 600 meter verderop
nog een keer gestopt was
om ze op een veldweg te gooien
de volgende dag
gaf ze hem als vermist op

met enorme schulden na de bruiloft
had haar man zich na de geboorte van de kinderen
nergens meer om bekommerd
en was gaan drinken vaak
was het op ruzie uitgelopen
vaak had hij haar
tot seks gedwongen

van de verhouding van haar man
met haar beste vriendin
zou de aangeklaagde niets hebben geweten
Dat had me ook niets uitgemaakt
emotioneel
bestond mijn huwelijk
al niet meer.

Serienummer

Alleen aan de hand van de serienummers van haar borstimplantaten
kon Sana Samotovih geïdentificeerd worden
de moordenaar
had haar gezicht totaal verminkt
haar vingertoppen afgesneden
en al haar tanden
getrokken.

De voormalige miljonair

In een motel in British Columbia
vond een kamermeisje
de met een kabel gewurgde
voormalige miljonair naar wie
in heel Noord-Amerika als
de vermoedelijke moordenaar van Sana Samotovih
was gezocht.

Noodweer

In het proces rond de drievoudige moord
na een ruzie onder volkstuinders in Gifhorn
bekende de 66-jarige beklaagde
te hebben toegeslagen
dat hij zijn slachtoffers met zijn knuppel dodelijk verwondde
zegt hij althans in eerste instantie
niet gemerkt te hebben

hij beweert
uit noodweer te hebben gehandeld
omdat hij zich door zijn buren (het ging
om het verwijderen van tuinafval)
bedreigd voelde met gebalde vuisten
zouden de drie
op hem afgestormd zijn.

Compost

Nadat hij compost
in zijn tuin verspreid had
klaagde een 47-jarige Brit in Buckinghamshire
over ademhalingsproblemen en
stierf vier dagen later
aan een bloedvergiftiging
door de schimmel *Aspergillus fumigatus.*

In de beddenkist

Een slecht ter been zijnde bejaarde uit Oberhausen
die een werkloze in huis had genomen
om haar in het huishouden te helpen
werd zondag
dood in de kist onder haar bed gevonden
de man had de dood van de vrouw
(volgens de lijkschouwing was ze

een natuurlijke dood gestorven)
niet gemeld
om van de woning gebruik te kunnen blijven maken
de kist onder het bed
had hij tegen de vrijkomende
lijkenlucht
met folie afgeplakt.

Alleenstaand

Omdat deuren en ramen gesloten waren
en hij na zijn werk in slaap viel
terwijl het eten
op het fornuis stond en verkoolde
stikte een man (44)
dinsdag
in Steinheim (Noordrijn-Westfalen).

Een lesje leren

Twee politieagenten uit Stralsund
werden veroordeeld tot straffen van ieder
drie jaar en drie maanden omdat ze
op een winderige dag bij een temperatuur van rond de twee graden
een 34-jarige dronken man
(die in een supermarkt was gevallen)
met hun politieauto naar de rand van de stad

gebracht en op een verlaten terrein
achtergelaten hadden
nadat de beambten waren weggereden
viel de man opnieuw
en stierf
na verscheidene uren van bewusteloosheid
aan onderkoeling.

Geen verband

Een hoofdinspecteur van politie (49)
heeft zichzelf gisteren in de EHBO-kamer
van bureau Oudenarder Straße (Berlijn-Wedding)
doodgeschoten reeds
in het weekend
had een 44-jarige politieagent
uit hetzelfde district

zich in een volkstuincomplex in Tegel
met zijn dienstwapen
van het leven beroofd tussen
beide sterfgevallen
schijnt geen
verband
te bestaan.

Whirlpool

Omdat zijn verloofde
de sproeiers van de whirlpool
in het wooncomplex in Singapore
te ver had opengedraaid
werd Arne S. (39) Aziëmanager
van een Duits technologieconcern
door de zuiging van de afvoer waarvan

het afdekrooster gebroken was
naar de bodem van het bad getrokken vier
mannen lukte het niet

de ervaren zwemmer van de zuigende afvoer weg te trekken
de twee-meter-man verdronk
voor de ogen van zijn vriendin
in één meter diepte.

Water (Jennifer Strange)

De 28-jarige vrouw
die bij een waterdrinkwedstrijd in Sacramento, Californië
tevergeefs had geprobeerd
een Wii voor haar kinderen te winnen
overleed omdat de natriumspiegel in haar bloed
na het drinken van meer dan elf liter water
veel te sterk was gedaald

twee jaar later
moet het radiostation KDND
dat de waterdrinkwedstrijd had georganiseerd
aan de nabestaanden
een schadevergoeding
van 16,5 miljoen dollar
uitkeren.

Financiële problemen

Een vrouw in Berlijn (39)
mengde zondag een verdovingsmiddel
door het eten van haar familie
en sneed (allen sliepen)
haar man en de kinderen de polsslagader door

de vader bloedde dood de dochters (8, 11, 14)
konden worden gered

Tot de dood

De lijken
van een dakloos echtpaar
(dat hun huis
nog maar sinds kort
was kwijtgeraakt)
werden in twee
1500 mijl van elkaar verwijderde

recyclingfabrieken gevonden
Thomas en Susan Jansen stierven
in de pers van een vuilniswagen
nadat ze
in St. Louis, Missouri
in een afvalcontainer waren gaan liggen
en in slaap gevallen waren.

Geen contact meer

Toen ze haar 5-jarig kind wilde ophalen
goot een man in Petersaurach
benzine over de moeder
van zijn zoon en stak
haar aan volgens de politie
hadden beide ouders
geen contact meer.

Omdat ze te veel

Omdat ze te veel praatte
en hij na zijn werk
zijn rust wilde hebben
plakte een 39-jarige man in Wetzlar
met tape de mond
van zijn vrouw dicht sleepte
haar naar de zolder

maakte haar vast aan een steunbalk
en liet haar daar
de hele nacht alleen
toen hij de volgende ochtend
naar haar kwam kijken
was zijn vrouw (38)
gestikt.

Seksspelletje

Op de zolder van een huis
in het bij Hardegsen gelegen plaatsje Ellierode
overleed een op zijn tenen in een
aan een balk bevestigde strop staande man
omdat zijn partner hem (zoals hij zei) even alleen liet
toen hij terugkwam hing zijn vriend
dood in het touw.

In de kast

Bij het opruimen van het huis van haar overleden moeder
vond een vrouw in Vienna, West Virginia
dinsdag
in de slaapkamerkast
gewikkeld in plasticfolie en meerdere lakens
het in ontbinding verkerende stoffelijk overschot
van een onbekende vrouw.

Ook aan inbrekers denkend

Omdat hij geluiden had gehoord sloop
een 62-jarige man in Puricar, Zuid-Frankrijk
zondagavond gewapend naar het huis van de buren en
loste een waarschuwingsschot
buurman zat voor de tv en
schoot terug en werd in het daaropvolgende
vuurgevecht gedood.

Gezamenlijke vakantie

Bij een schietpartij tussen leden van een familie
die op een camping in Helmstedt
vakantie vierde werden na een ruzie
tussen een 32-jarige man
en zijn 20-jarige echtgenote
vier personen
gewond

alleen van de bij het vuurgevecht gedode
vader van de vrouw
is met zekerheid vastgesteld
dat hij geschoten heeft over
de achtergronden van de ruzie
liet de familie
niets los.

Bij Osterode

Een tweespan zonder koetsier
reed zaterdag bij Osterode in de Harz
op een groep oudere wandelaars in
een blinde vrouw een slechtziende en ook een moeilijk lopende man
konden de paarden niet ontwijken de
blinde vrouw kwam om het leven de beide mannen raakten
levensgevaarlijk gewond.

Bij Clery in Savoyen

In Oost-Frankrijk bij Clery
raakte een heteluchtballon
zondagmorgen
vlak voor de landing
een hoogspanningsleiding
en vloog in brand
vier volwassenen en twee kinderen

verbrandden voor de ogen van hun familie
één passagier sprong uit de gondel

en stierf
bij het neerkomen
op de stoppels
van een reeds geoogst
veld.

Dodenschip

Italiaanse autoriteiten maakten maandag melding
van meer dan zeventig doden
op een klein houten schip
dat in de Middellandse Zee
vijftig zeemijlen voor Lampedusa
met dertien lijken aan boord
was opgebracht

meer dan twee weken dreven de vluchtelingen
zonder water op zee
overlevenden (de meesten uit Somalië) zeiden
dat ze tot ze daarvoor te zwak waren
veel lijken (waaronder vijftien vrouwen
en zeven kinderen)
overboord hadden gegooid.

In een delicatessenzaak

Arturo Eusebio Alzate (26)
zakte vrijdag
kort na zijn aankomst op de luchthaven van Frankfurt
in een delicatessenzaak ineen en overleed

een van de 108 met cocaïne
gevulde condooms in zijn maag
was gesprongen.

Een boodschap van het kartel van Sinaloa

In een koelbox
vonden politieagenten van de Noord-Mexicaanse stad Praxedis
maandag
het hoofd van hun hoogste opsporingsambtenaar
die zaterdag (vier dagen na zijn indiensttreding)
met nog vijf beambten
was ontvoerd.

Para continuar el viaje

Het stoffelijk overschot van de Salvadoraan
Edmer Rolando Javier Ramírez
gevonden op 17 maart in Veracruz, Mexico
is naar zijn geboorteland overgebracht
de man (aldus
de consul van El Salvador)
was vermoedelijk in een vrachtwagen

die in zijn dubbele bodem vluchtelingen
richting Verenigde Staten vervoerde
gestikt zijn kameraden
wierpen de dode
op straat
en zetten hun reis
voort.

Jerry Springer Show

Slechts enkele uren na het uitzenden van de *Jerry Springer Show*
werd maandag in Sarasota, Florida
het stoffelijk overschot van een vrouwelijke studiogast gevonden
de politie is op zoek naar de ex-man van het slachtoffer
en zijn nieuwe vrouw het echtpaar was
samen met de vermoorde
in de aflevering

Secret Mistress Confronted opgetreden
en had de 52-jarige ervan beschuldigd
hen voortdurend te volgen de vrouwen
vochten al langer
ook om het huis
waarin de dode
werd gevonden.

In de koelcel

Kort na sluitingstijd
vonden de kelners
van een restaurant in Washington DC
drie collega's die de dag daarvoor hadden gewerkt
doodgeschoten in de koelcel
overdag had men hen
niet kunnen vinden.

Geslaagde zelfmoordpoging (circa drie uur)

Een 40-jarige vrouw
is in de nacht van zaterdag op zondag
op de toegangsweg naar de snelweg Antonienstraße
(rijrichting Kurt-Schumacher-Damm)
tegen een brugpijler geknald
en in haar
brandende auto

om het leven gekomen
volgens een woordvoerder van de politie
had ze een afscheidsbrief achtergelaten
tijdens de bergingswerkzaamheden was
de straat bij de plaats van het ongeval
circa drie uur
afgesloten.

Familiegraf

Een 63-jarige Siciliaan
die zaterdag in de namiddag in Palermo
de bouwplaats van zijn familiegraf wilde bezichtigen
viel bij zijn bezoek van de steiger
kwam op zijn hoofd terecht en
werd pas op zondagmorgen
dood gevonden.

Ik verzamel en ik wacht, maar wachten kost me geen moeite meer. Ik vergeet dat ik wacht, want ik wacht altijd al. Ik
wacht thuis, ik wacht in de wachtkamer, ik wacht in het ziekenhuis. Ik wacht in bed, ik wacht op de bank, in de ligstoel.
Ik wacht op het onderzoek, op bezoek, op de visite van de
arts, ik wacht op het eten en op dat er iets gebeurt. Ik wacht
op een leven, ik wacht op de dood. Ik wacht, ja, ik weet het,
ik weet het al lang, op jou.

Ik wacht, ik wacht, ik wacht, ik wacht, ik wacht, ik wacht,
ik wacht, ik wacht, ik wacht, ik wacht, ik wacht, ik wacht,
ik wacht, ik wacht, ik wacht, ik wacht, ik wacht, ik wacht,
ik wacht, ik wacht, ik wacht, ik wacht, ik wacht, ik wacht,
ik wacht, ik wacht, ik wacht, ik wacht, ik wacht, ik wacht,
ik wacht, ik wacht, ik wacht, ik wacht, ik wacht, ik wacht,
ik wacht, ik wacht, ik wacht, ik wacht, ik wacht, ik wacht,
ik wacht, ik wacht, ik wacht, ik wacht, ik wacht, ik wacht,
ik wacht, ik wacht, ik wacht, ik wacht, ik wacht, ik wacht,
ik wacht, ik wacht, ik wacht, ik wacht, ik wacht, ik wacht,
ik wacht, ik wacht, ik wacht, ik wacht, ik wacht, ik wacht,
ik wacht, ik wacht, ik wacht, ik wacht, ik wacht, ik wacht,
ik wacht, ik wacht, ik wacht, ik wacht, ik wacht, ik wacht,
ik wacht, ik wacht, ik wacht, ik wacht, ik wacht, ik wacht,
ik wacht, ik wacht, ik wacht, ik wacht, ik wacht, ik wacht,
ik wacht, ik wacht, ik wacht, ik wacht, ik wacht, ik wacht,
ik wacht, ik wacht, ik wacht, ik wacht, ik wacht, ik wacht,
ik wacht, ik wacht, ik wacht, ik wacht, ik wacht, ik wacht,

Nee, dat klopt niet. Van wachten kan geen sprake zijn. Ik wacht helemaal niet. Ik denk bijna nooit aan dag x, ik heb geen zin daaraan te denken, ik praat niet over de wachtlijst, ik vertel vrijwel niemand over de aanstaande transplantatie. Misschien wil ik het eigenlijk toch niet, misschien wil ik die twee tot vier pond vlees wel helemaal niet uit mijn buik laten snijden, misschien vind ik het niet langer een goed idee mijn lever te laten verwijderen en in plaats daarvan die van een dode te laten inzetten, misschien wil ik mijn eigen lieve lever, hoe kapot ook, helemaal niet afgeven. Wat is er zo erg aan dat ik elke dag moe ben, dat ik water in mijn buik heb en waarnemingsstoornissen? Moet niet alles zo en niet anders zijn? Zou ik niet, dat lukt me toch al een hele tijd, gewoon verder kunnen leven? Of, als niet, dan maar sterven?

Ik denk heus niet dat straks, na een transplantatie, alles geweldig, fantastisch en altijd zonnig is. Nee, ik wacht niet. Soms laat ik mijn telefoon thuis liggen, soms zet ik hem uit, een- of tweemaal ga ik zelfs naar het buitenland, wat ik eigenlijk niet mag. Ik speel een beetje met de dood.

Het is nu eenmaal niet zo gemakkelijk elke dag aan het einde of niet-einde van je eigen leven te denken.

INCIPIT VITA NOVA

Het telefoontje komt even na tweeën. Ik heb net geluncht en zit in mijn werkkamer als een stem zegt, Meneer W., we hebben een geschikt donororgaan voor u. Op dit telefoontje heb ik gewacht, voor dit telefoontje ben ik bang geweest. Het kind is er niet en komt pas weer in het weekend, ik heb al gegeten, ik hoef dus niet hongerig naar het ziekenhuis en heb ook verder geen plannen. De zon schijnt, en ik bedenk hoe graag ik nog wat zou blijven, een paar jaar misschien. En ik zeg: Ja, en de stem antwoordt dat de ambulance onderweg is.

Vier minuten later sta ik beneden voor de deur te wachten. Er zijn vrije parkeerplaatsen, de stad is leeg, zomervakantie in Berlijn, het is heet. Ik kijk naar de bloeiende planten in de bloembakken, en naar de stoep, ik zie het vuil in de spleten tussen de tegels, en de tafeltjes voor het café aan de overkant van de straat. Een uur of wat geleden, het komt me voor alsof er jaren zijn verstreken, heb ik daar gegeten, de serveerster zwaait, we kennen elkaar.

Naast mij staat de bruine weekendtas, in het wilde weg

heb ik er een paar spullen in gegooid, er stond nog niets bij de voordeur klaar – hoewel ik wist dat het telefoontje elk moment kon komen, dag en nacht, had ik er niet op gerekend. Misschien wilde ik er niet op rekenen, mijn pantoffels, dat zal ik nog merken, ben ik in elk geval vergeten. Als de fysiotherapeute me drie dagen later dwingt voor de eerste keer uit bed te komen – opstaan is het belangrijkste, zegt mijn arts – heb ik, wat er nogal debiel uitziet, rubberhandschoenen aan mijn voeten. Ik moet er zelf om lachen, maar lachen doet wel pijn.

Ik herinner me dat ik een andere keer nog minder voorbereid ben geweest. Ik wissel van de ene stoeptegel naar de andere, loop wat heen en weer en moet, of ik wil of niet, eraan denken dat mijn telefoon al een keer eerder is overgegaan, in een winternacht toen het ijzelde, tegen vier uur, het kind sliep in de kamer naast de mijne. Nog niet helemaal wakker nam ik op en hoorde een stem dezelfde zin zeggen die ik daarnet had gehoord: Meneer W., we hebben een donororgaan voor u. Waarop ik antwoordde, en ik had helemaal geen bedenktijd nodig: Nee, liever niet. Liever niet, dacht ik, want ik zou het kind moeten wekken, en hoe legde ik het uit dat ik midden in de nacht naar het ziekenhuis moest? Terwijl ik natuurlijk de buurvrouw of de moeder van mijn kind uit bed had kunnen bellen.

De volgende ochtend belde ik naar het transplantatiecentrum en vroeg of ik het telefoongesprek misschien gedroomd had. Ik wist niet meer of ik het had gedroomd of niet, of ik wilde mezelf aanpraten dat ik het niet meer wist. In elk geval leek het me een goede smoes om te geloven dat ik het alleen maar gedroomd had, want ik wist natuurlijk dat ik ja had moeten zeggen. Wanneer maak je nu mee dat je een verlenging van je eigen leven krijgt aangeboden? Mij werd verzekerd dat mijn telefoon daadwerkelijk was overgegaan. Na mijn nee was een andere patiënt van de wachtlijst blij geweest.

Later belde ik ook met B. om hem te vertellen wat ik had afgeslagen. En hoewel ik geen verwijten te horen kreeg, raadde hij me wel aan niet nog eens te weigeren. Ik besloot op de wachtlijst te pauzeren, de tot dusver opgelopen wachttijd zou ik niet kwijt zijn.

Vier of vijf maanden later sprongen de varices.

Nu wacht ik al drie of vier minuten op de ambulance. Ik kan nog verdwijnen, denk ik, gewoon verdwijnen en mijn telefoon uitzetten. Een vrouw die twee huizen verderop woont komt langslopen met haar fiets aan de hand, een leeg kinderzitje op de bagagedrager, we glimlachen naar elkaar. Ik zoek mijn mobieltje, vind het in de achterzak van mijn broek, maar in plaats van het uit te zetten, bel ik het transplantatiecentrum terug en vraag waar de ambulance blijft. Die komt eraan, probeert de stem me gerust te stellen. Vervolgens, omdat ik de telefoon toch al in mijn hand heb, schrijf ik een sms en verstuur hem naar de vrienden van wie ik afscheid wil nemen voor het geval dat. Ik typ: 'Ga nu naar ziekenhuis voor nieuwe lever', maar in werkelijkheid stuur ik, en dat zie ik enkele weken later als ik het bericht in mijn mobieltje terugvind: 'Ga nu naar ziekenhuis voor nieuwe leven'.

Ik bel tot de ambulance loom van het warme zomerweer – kom, o zoete dood – komt aantuffen. De deur aan de kant van de bijrijder gaat open, een man die alle tijd van de wereld lijkt te hebben stapt uit, draait zich naar mij toe en begroet me met de vraag of ik vrijgesteld ben van een eigen bijdrage, zo niet dan wil hij eerst vijf euro van me hebben. Daarna pas legt hij zijn hand op de greep van de schuifdeur en trekt hem open. Ik stap in en vind een verfrommeld vijfeurobiljet in mijn portemonnee, daarmee kan ik de veerman de overtocht betalen. De boot vaart af, trekt rustig op, en ik vraag of het niet wat sneller kan, er is mij zwaailicht beloofd. In de instructies staat niets over zwaailicht, zegt de chauffeur, maar maak je maar geen zorgen, het is vakantie, er is nauwelijks verkeer.

Op mijn bureau en de brede vensterbank in mijn werkkamer liggen briefjes waarop staat wat ik allemaal allang had willen doen. Al meer dan drie maanden wilde ik een paar planken voor de kinderkamer bestellen, ik wilde een lamp ophangen, de ijskast ontdooien, ik wilde afwassen en naar de kapper gaan, morgen of overmorgen. Nu schiet me te binnen wie ik deze, de volgende of de daaropvolgende week iets had willen laten horen en wiens brieven ik al weken, maanden, jaren niet heb beantwoord, hoewel ik het misschien beloofd heb. Ik wilde ook altijd een ordelijk testament maken, de middelste la van mijn bureau opruimen, de stapel papier achter het bureau sorteren en Rebecca schrijven, al een paar jaar. Ik heb er alweer niet aan gedacht dat ze niet meer leeft.

De ambulance rijdt naar de Virchowkliniek, ik ken de weg, ben hem al vaak gereden. Over de Bernauer Straße, dan rechtsaf door Gesundbrunnen, de chauffeur rijdt door de Graunstraße – het is dezelfde route als de ziekenauto nam, meer dan een jaar geleden. Destijds stelde ik me voor dat de wagen helemaal geen dak had, hoe we met een aan flarden geschoten kap door Vlaanderen reden, misschien vanwege de kinderkopjes waar we ook vandaag door de zomers lege stad overheen rijden, tot de veerman uiteindelijk aanlegt, mijn boot stopt op de oprit voor gebouw 4.

De bijrijder stapt uit, opent de schuifdeur en begeleidt me niet alleen tot de lift, maar gaat mee naar boven naar de zevende verdieping, brengt me tot bij de toegangsdeur van de afdeling. Hij moet me afleveren, zo luidt zijn opdracht, alleen gelaten zou ik me in de lift nog kunnen bedenken of in het gebouw verdwalen, wie weet. Een vriendelijke verpleegkundige begroet mij en neemt afscheid van de man, ik moet, de metamorfose begint, een lichtgele beschermende schort aantrekken: wie hier binnengaat, mag geen ziektekiemen verspreiden.

De verpleegkundige brengt me naar een kamer met een groot raam op het oosten, de zon schijnt, ik zie het Humboldthainpark, de twee luchtafweertorens, het hoge lensvormige gebouw aan de Brunnenstraße, de lichtmasten van het Friedrich-Ludwig-Jahn-Sportpark, ik zie zelfs de daken van de straat waar ik woon. Om mij heen zijn vier of vijf personen in beschermende kleding druk in de weer. Een van hen neemt dingen van me af die ik nu niet meer nodig heb, mijn bril, het horloge van mijn vader, mijn portemonnee, het mobieltje. Terwijl ik me uitkleed, beantwoord ik de gebruikelijke vragen: Sinds wanneer lijdt u aan deze ziekte, wanneer is er voor het laatst bloed bij u afgenomen, is er in uw gegevens iets veranderd, klopt het adres nog, met wie kunnen we indien nodig contact opnemen, draagt u een gebitsprothese, ik schud van nee. Daarop teken ik alle bladzijden van de officiële goedkeuring, ga nog een keer naar de wc en trek een operatiehemd aan. Er wordt bloed bij me afgenomen en er wordt bloed besteld, een centraal veneuze lijn en een arteriële bloeddrukmeter worden aangelegd, buikwand en borstkas met een geelgroene vloeistof gedesinfecteerd, elektrodes opgeplakt. Het is nog helemaal niet zo lang geleden dat ik gegeten heb, zeg ik. Nou ja, zolang het geen speklapje was, hoor ik de arts schertsen en plotseling voel ik me op een merkwaardig definitieve manier goed, wat mij betreft zou het nu overal naartoe kunnen gaan, voor mijn part naar een andere planeet. Misschien word ik wel ingevroren, dat hoop ik een beetje, ingevroren om pas over een paar jaar weer wakker te worden. Mijn lichaam heb ik afgegeven, de romp met armen en benen is nauwelijks nog aangesloten op mijn waarnemingsapparaat, ineens weet ik zelfs niet meer zeker of ik me nog wel in mijzelf bevind, ik ben van de artsen en ben – vreemd, waarom eigenlijk – niet bang.

In de ok-sluis word ik opgewacht door een vriendelijke anesthesist, de tovenaar, die me zo meteen zal laten verdwijnen. Later herinner ik me alleen zijn baard en een kort, op zich grappig gesprek, dat over mijn hulpeloosheid gaat, hij somt op wat hij nu allemaal met me zou kunnen doen, voorspelt dat ik niets meer zal meekrijgen van wat er nu volgt. En hij heeft gelijk. Even is hij nog met mij in de weer, maar dan ben ik weg – en word vermoedelijk de operatiekamer in gereden, misschien denk ik nog: tot dusver is het leven eigenlijk heel leuk geweest, maar waarschijnlijk ben ik dat al niet meer die dat denkt, ik ben immers weg en voel niets, ik ben er helemaal niet meer.

Een lichaam ligt op de tafel in de operatiekamer, slapend, een gisant zoals uit het boek van Philippe Ariès waarin veel graffiguren staan afgebeeld. Van een afstandje kijk ik naar degene die daar ligt, wie zou dat zijn, en neem vervolgens de positie van een assistent van de professor in, ik ben een van de personen die rond dat lichaam staan en een klem vasthouden, zes of zeven uur lang. Mijn lichaam, ja, nu herken ik het, het is het mijne, ligt op de tafel, de dwarse bovenbuikincisie met een verlenging van de navel tot het borstbeen is gemaakt, de huid is opgeklapt. Het is nu eerst zaak de zieke lever bloot te leggen en uit de buikholte te lichten, in de wijde omtrek geen adelaar te bekennen.

De hepatectomie verloopt volgens het boekje: na het openen van het abdomen middels een bovenbuiklaparotomie volgt mobilisatie van de linkerleverkwab, presentatie van de suprahepatische v. cava met lospreparen van de rechterleverkwab van het middenrif en aanhaken van de v. cava. Presentatie en ligatie van de a. hepatica propria ofwel de a. hepatica dextra en sinistra. Presentatie en vrijprepareren van de a. hepatica communis inclusief de a. gastroduodenalis voor de arteriële anastomose. Vervolgens presenteren en doornemen van de ductus cysticus evenals de ductus choledochus nabij de leverhilus, inbrengen van katheters voor de veno-veneuze bypass in de v. femoralis en v. axillaris, ligatie en doornemen van de poortader met inbrengen van nog een katheter. Na aanleg van de veno-veneuze bypass, die het mesenteriaalvenenbloed evenals het bloed uit de onderste extremiteiten en uit de nieren naar de v. axillaris omleidt, presenteren en afklemmen van de subhepatische v. cava. Afklemmen van de suprahepatische v. cava en uitnemen van de lever uit het retroperitoneum, waarbij de v. cava wordt meegenomen.[*]

*   Geciteerd naar Peter Neuhaus, Robert Pfitzmann e.a., *Aktuelle Aspekte der Lebertransplantation*, 2e druk, Bremen 2005, p. 33.

Voor een uitgebreide voorgeschiedenis verwijzen wij naar eerdere brieven. Klinische opname volgde op 14 juli, nadat een transplantaatlever van donor met passende bloedgroep beschikbaar kwam via Eurotransplant.

Na preoperatieve diagnostiek zonder bijzonderheden en informed consent van de patiënt met een MELD-score van 21 kon de orthotope levertransplantatie zonder complicaties uitgevoerd worden volgens piggyback techniek (met a. lienalis op a. gastroduentalis, ligatie van de a. lienalis, galweg side-to-side anastomose met T-drain).

Postoperatief werd de patiënt op de recovery gedetubeerd, en vervolgens spontaan ademhalend en hemodynamisch stabiel overgeplaatst naar de intensive care.

En zo is het gebeurd. Ik heb de lever van een ander mens, van een dode man of vrouw, cadeau gekregen. Bij hem of haar werd hij uit het lichaam gesneden en bij mij in plaats van mijn eigen lever ingeplant. Ik kan het eigenlijk niet geloven.

Het zou, ik weet het, ook omgekeerd hebben kunnen gaan. Ik had in de appelmoesnacht kunnen doodbloeden, in de badkamer, boven het bad, in de ambulance, onderweg naar het ziekenhuis, want de ambulancearts hield mijn donorcodicil al in de hand. Ergens anders zouden mensen blij zijn geweest, hadden kunnen blijven leven en waren misschien niet op de wachtlijst overleden, hun telefoons waren die nacht overgegaan, en een stem had gezegd: We hebben een long, een nier, een hart voor u. Alleen aan mijn lever zou niemand iets gehad hebben.

94

Ik zie lichtjes, heel veel lichtjes, een zee van licht. Ik zweef boven een stad, hoe heet deze stad ook alweer? Ik heb vleugels, nee maar, ik ben een vogel, ik ben een eend, ik ben de eend tussen twee werelden, ik zwem, vlieg, duik, aangenaam, mijn naam is Donald Duck.

95

Bij elke derde ademhaling hoor ik het piepen van banden. Maar wie ademt daar zo luid? Moet ik wel ademhalen? Ben ik niet onder water? Het piepen is misschien een sample, het loopt in een lus, telkens weer, bij elke derde ademhaling.

96

Later, misschien ook vroeger, daarvoor of daarna, wordt het voor het raam, ja, ik denk dat het een raam is, weer licht. De lichtzee dooft uit, ik zie een stukje hemel. Ach, ik ben er, wat fijn. Ik kan een hand bewegen. En hoor een eend.

97

Kunt u dat beest niet naar buiten laten, zou ik tegen de man in de kamer willen zeggen, ik neem aan dat het een verpleeg-kundige is. Ik zou willen zeggen dat ik die eend niet in mijn kamer wil hebben, maar ik kan niet praten, ik heb geen stem. Ik hoor de eend heel duidelijk, hij heeft zich alleen verstopt. Wilt u niet onder het bed kijken, zou ik willen zeggen, daar zit hij, ik hoor hem kwaken, door de geluiden van de appa-ratuur heen, hij praat met mij. De eend spreekt, waarom ook niet, Spaans.

98

Een vrouw in een verblindend witte jurk, geen verpleegkun-dige, maar ook geen arts, zit op mijn bed. Ze kijkt uit het raam en heeft nog niet gemerkt dat ik mijn ogen heb ge-opend. Uit een bekertje in haar hand, een kartonnen bekertje met een deksel, neemt ze een slokje koffie, vervolgens draait ze haar hoofd in mijn richting, maar lijkt mij niet te zien. Ik weet niet of ze daar werkelijk is. Jawel, ze is er, want ik voel haar hand, eerst op mijn scheenbeen, daarna op mijn knie.

Maar wie is zij dan? Hebben we elkaar misschien al eens

ontmoet? Is er iets wat ons verbindt, zou ik me nu iets moeten herinneren? Heb ik niet een kind aan wie ik nu zou moeten denken? Wat zal zij tegen deze vrouw zeggen, die niet haar moeder kan zijn? De vrouw zal nu blijven, zo vat ik haar aanraking op, hoewel ze nog geen woord heeft gezegd, en in het tegenlicht voor het raam kan ik haar nauwelijks zien. Ze lacht en kijkt daarbij heel ernstig, ze is blond en heeft gitzwart haar.

99

Ach, ik mag al weer eten, denk ik verbaasd als de verpleegkundige een dienblad met ontbijt brengt. Ze smeert boter en morellenjam uit een portiebakje op een geroosterde snee witbrood. Ik krijg te horen dat zich op een geroosterde snee witbrood duidelijk minder kiemen bevinden dan op ongeroosterd witbrood. De verpleegkundige lacht en snijdt het brood in smalle reepjes, die me sterk doen denken aan de reepjes brood met jam die ik anders voor het kind klaarmaak. Hier ben ik het kind.

Het is lang geleden dat iets me zo goed heeft gesmaakt. Ik leef nog, en ik kan eten. Wat een geluk. De jamresten lik ik uit het bakje.

100

Mijn bloeddruk wordt arterieel gemeten, invasief in mijn rechterarm; de manchet om de bovenarm, die zich elk kwartier opblaast, blijft me bespaard. Ik heb een centraal veneuze lijn met drie of vier gekoppelde slangetjes in mijn hals, een katheter, een t-drain en een wonddrain. Zuurstof, heerlijke zuurstof dringt door het slangetje dat onder mijn neus is vastgeplakt, een klokkende bosbeek, dat ken ik al.

101

Ik val in slaap, word weer wakker en verwonder me over de ongewoon rood-grijs-paarse hemel. Hij straalt alsof deze avond een avond op een andere planeet is. De eend kwaakt bevestigend, bewegen kan ik niet. Toch komt er een fysiotherapeute, ze dwingt me op te staan en drie stappen te lopen. Drie stappen tot aan de afgrond. Ze houdt me vast, trekt me terug en helpt me weer in bed.

102

De apparaten in de kamer werken voor mij. Of werk ik voor de apparaten? Werkt dit lichaam dat hier ligt, dit lichaam waarin ik blijkbaar zit, voor de apparaten? De mogelijkheid dat ik het ben die al die apparatuur aandrijft, laat me niet meer los. Natuurlijk, begin ik te fantaseren: vandaar dat hele circus! Ik moet worden afgetapt, uitgezogen en benut.

103

De blonde vrouw met het gitzwarte haar ligt naast me, de verpleegkundigen in mijn kamer negeren haar bewust. Ik vermoed dat ze me een plezier willen doen: het is nauwelijks voorstelbaar dat het is toegestaan hier met een vrouw in bed te liggen. Toch is het in dit bed niet krap. *La flaca* schijnt niet veel plaats nodig te hebben. Ze kust me, dus ze is er echt.

De getransplanteerde lever functioneerde vanaf het begin uitstekend, middels echo-doppler kon een goede circulatie van de lever worden aangetoond. Na adequate volume-substitutie bleef patiënt W. hemodynamisch stabiel, zodat hij in goede cardiovasculaire staat en met goede leverfunctie naar de verpleegafdeling kon worden overgeplaatst.

104

Ik word de intensive care uit gereden, tot ziens mooi uitzicht, naar een nieuwe kamer op de verpleegafdeling een verdieping lager. En weer heb ik geluk, ik word aan de raamkant gestald, met uitzicht op het zuiden. Het is licht, het is warm. Buiten is het vast een fantastische zomer.

105

Op het bed aan de kant van de kast zit een man met een appel te spelen. Hij is aangekleed, hij mag zo meteen naar huis, zijn tas is gepakt. Hij wacht op het ontslaggesprek met de arts. Telkens weer staat hij op, loopt naar het raam, kijkt naar buiten, gaat terug naar zijn bed, gooit zijn appel – kennelijk over van het dessert – in de lucht, vangt hem op, draait hem in zijn hand en gooit hem weer omhoog. Zijn telefoon gaat, hij praat met zijn vrouw. Hij zegt: Nee, kom nog maar niet, ik wacht nog op de dokter. Hij gaat door met op en neer lopen, speelt met de appel.

Ten slotte komt de arts en hij heeft geen goed nieuws. Ik lig daar en luister, ik kan ook niet anders, ik kan niet opstaan en naar buiten gaan, kan niet eens mijn oren dichthouden. Ik hoor dat mijn buurman niet meer geopereerd kan worden. Het spijt me, zegt de arts, we kunnen niet transplanteren, de kanker is te veel uitgezaaid, het spijt me zeer.

De man, zijn naam heb ik niet verstaan, toen ik de kamer werd in gereden hebben we elkaar alleen goedendag gezegd, weet nu dat hij al snel, heel snel, nog dit jaar, over twee of drie, misschien ook pas over vier maanden, dood zal zijn. Hij weet het, de arts weet het, ik weet het, want leverkanker, dat gaat heel snel. Hij draait het steeltje tussen de toppen van zijn duim- en wijsvinger, laat de appel ronddraaien, het steeltje zal zo breken.

Als de arts de kamer uit is, begint de man te huilen. Hij begint niet zomaar te huilen, maar barst in tranen uit. Hij staat voor het raam, heel dicht bij mijn bed, en huilt. Ik weet waarom, en kan niets zeggen. Moet ik dan zeggen: Het spijt me dat ik wel geopereerd kon worden, maar u niet?

Hij pakt zijn telefoon van het nachtkastje, belt zijn vrouw en zegt: Je hoeft niet te komen. Nee, hoor ik hem zeggen, kom maar niet, ik kom alleen naar huis, ik neem een taxi.

Vanuit de deuropening, hij heeft zijn tas in de ene, de klink in de andere hand, een dun jack hangt over zijn arm, zwaait hij naar me en wenst me het beste. Dat wens ik hem ook toe.

106

Als ik wakker word, staat er een nieuw bed, een bed waaruit een zacht gesnurk komt. Ik zie een bos wit haar op het kussen.

Een arts komt de kamer in, ze heeft opvallend rood haar en draagt in plaats van een witte jas een blauw OK-pak. Ze vraagt hoe het met me gaat, of ik pijn heb en waar ik die op een schaal van één tot tien zou plaatsen. Is één 'bijna pijnvrij'? En tien 'de pijn is niet uit te houden'? Ik weet niet wat ik moet antwoorden.

107

Melk aan de ochtendhemel, het is pas vijf uur. In de verte jankt een turbine, ik zie de torens van de krachtcentrale, een eenzame hoogspanningsmast midden in de stad en een grijze wolkenvlek aan de blauwe hemel. Dan klimt de zon boven de rand van het platte dak aan de overkant. De oorspronkelijk wit-oranje gestreepte, maar nu grauw verweerde windzak vangt het licht en groet, hij komt vermoeid omhoog en zakt in elkaar, enkel opengehouden door een ring. Eigenlijk moet hij de helikopterpiloten aangeven waar de wind vandaan komt.

108

Waarom staat mijn opa plotseling hier? En waarom heeft hij het over een kameraad die na een schot in zijn buik is overleden, naast hem in de loopgraaf? Verder heeft mijn opa nooit over de oorlog verteld. Alleen over zijn kompas is hij telkens weer begonnen, het kompas dat hij tijdens zijn gevangenschap in zijn onderbroek verborgen hield omdat hij wist dat hij het nog nodig zou hebben. In Hongarije kwam hij in Russische krijgsgevangenschap en had geluk, hij hoefde niet naar Siberië, hij was waarschijnlijk al te oud, in 1945 was hij vijftig, deze wereldoorlog was al zijn tweede. En ik vermoed dat het verhaal over het buikschot uit de eerste stamt.

Nu staat hij dus hier aan mijn bed – hoe is hij eigenlijk deze kamer binnengekomen? Is hij niet allang dood? Hij kan toch helemaal niet meer in leven zijn? Hij draagt een veldgrijs uniform en zwarte laarzen en ziet eruit zoals officieren van de Wehrmacht er in Amerikaanse films uitzien, opa vertelt over de oorlog, ik luister niet, ik wil me niet laten vertellen dat alles er altijd ordelijk aan toe is gegaan. In Polen was hij er niet bij geweest, hij had in de Schemeroorlog bij een eenheid aan het westelijk front gezeten, vervolgens had hij Frankrijk veroverd en Parijs bezet, waarop hij waarschijnlijk wel een beetje trots was geweest, want een oorlog eerder waren ze daar niet in geslaagd, hij, zijn vader en zijn twee broers, een oorlog eerder was het hun niet gelukt Parijs te veroveren, en zijn vader en beide broers waren gevallen, aan de Somme en in Verdun. Daarna, na de mooie bezettingstijd in Frankrijk, moest hij aan de veldtocht naar Rusland deelnemen, maar Rusland had hem niet echt kunnen bekoren, hij had kennelijk nooit begrepen wat ze daar eigenlijk zochten, veel te groot en veel te koud, en nergens bioscopen, waarvan hij in Parijs zo had genoten. Ik ken een foto van hem waarop hij voor Ciné Wepler aan de place de Clichy staat, ik ben op die plek gaan kijken, vijftig jaar later, de bioscoop is er nog.

Een kraai landt op de stang waaraan de slappe windzak hangt, de windzak doet me denken aan de kap van een non met lang haar. Dragen nonnen tegenwoordig eigenlijk nog kappen? Verpleegsters, hoewel dat ooit tot hun iconografie behoorde, dragen er geen meer. De houtsneden in een uitgave van Boccaccio's *Decamarone* schieten me weer te binnen, juist vanwege die meestal erotische houtsneden was ik al vroeg door dat boek gefascineerd, ik bladerde er soms in, het stond in de kamer van mijn vader, helemaal onderaan. Enkelen van de afgebeelde nonnen waren naakt, een van hen droeg de broek van haar minnaar in plaats van haar kap op haar hoofd. De wind beweegt de stoffen zak, hij bolt iets op, blijkbaar een briesje, en zakt weer in.

110

Lichamelijke pijn is altijd tegenwoordige tijd, is onmiddellijk, pijn is nu. In de herinnering is pijn al minder hevig, erop terugkijkend wordt ze steeds minder. De volgende morgen was het eigenlijk al niet meer zo erg. De pijn vermindert, beheerst alleen het moment.

Zolang het pijn doet, ben ik er nog.

111

Als kind dacht ik dat ik op een dag ergens naartoe zou gaan waar ik alles te weten zou komen, een plaats waar alles duidelijk wordt, alle vragen, raadsels en problemen. Een plaats waar blijkt wat dit leven eigenlijk betekent, waar dit leven überhaupt voor dient, waarom ik op de wereld ben en waarom iets gebeurt. Ik dacht dat daar ook andere vragen opgehelderd zouden worden – wat al die sterren en het heelal, de melkweg- en sterrenstelsels te betekenen hebben, waarom de kosmos zo groot is en wij zo klein zijn, hoe er leven op aarde is ontstaan, waarom de dinosauriërs zijn uitgestorven, maar wij mensen nog niet, en wanneer het voor ons zover is, enzovoort enzovoort.

Op een dag, ik was negen of tien, wilde ik het weten ook en ging met een dolk in de hand, een dolk die onze buurvrouw voor mij uit Marokko had meegebracht, op het bed in mijn kamer staan en overwoog me in de botte kling te laten vallen. Op die manier, dacht ik, moest ik er toch achter kunnen komen wat er na dit leven gebeurt. Wat het godsdienstonderwijs op school me tot dan toe als antwoord op die vraag had aangeboden – Bijbelverhalen, Onze-Lieve-Heer, verrijzenis en het eeuwige leven – had me niet tevredengesteld, de godsdienstlerares leek geen idee te hebben van wat er na de dood gebeurt, maar ik wilde het weten en was van plan daarvoor die dolk, eerder een sierdolk dan een gevaarlijk wapen, door mijn rode ribfluwelen blouse te stoten die ik die dag aanhad. Met de mogelijkheid dat er helemaal niets zou kunnen komen, heb ik destijds nog geen rekening gehouden, misschien komt er niets, helemaal niets meer, denk ik tegenwoordig vaker, misschien blijven alle raadsels onopgelost en alle vragen open. Maar dat te denken is niet zo gemakkelijk, want het niets is voor een 'ik' bijna een belediging – je voelt je in je ijdelheid gekrenkt door het inzicht dat je misschien niet belangrijk genoeg bent om er ook na de dood nog te zijn.

Ach ja, ik weet het weer, daarom krijgt de mens kinderen.

De arts met het rode haar, dat zo indrukwekkend oplicht
boven haar blauwe OK-jasje, ondervraagt me weer over mijn
pijn. Ik vind het prettig te doen alsof het allemaal wel mee-
valt. Indianen kennen geen pijn, heette het vroeger, een
spreuk van mijn moeder, stel je niet zo aan, was ook een van
haar favorieten. Duitser zijn betekende ook indiaan zijn,
tenminste dat beweerde Heiner Müller – dat citaat van hem
hing in Parijs, gescheurd uit een krant, in de keuken van de
woning in de rue des Martyrs, Rebecca had het gevonden en
met plakband op de koelkast opgehangen.

Er loopt een pijnstillend middel bij mij naar binnen, wat zou
er dan nog pijn moeten doen? Bovendien heb ik druppels
die ik zelf mag doseren. Om de zes uur laat ik vijfentwintig
druppels, ach, waarom niet dertig, drieëndertig, in mij naar
binnen druppelen, veel helpt veel, en alles komt goed. Zachte verdoving spreidt zich over mij uit, een wondermiddel,
echt waar, ik zweef boven mijn bed, ik ben zo licht, ik vlieg.
Nu en dan laat ik me door verschillende verpleegkundigen
nieuwe flesjes geven voordat de aangebroken exemplaren
leeg zijn, ik hamster ze in mijn nachtkastje, echt boekgehou-
den wordt hier niet. Ik verheug me op het feestje dat ik op
een dag daarmee zal vieren.

Ik kan niet opstaan, ik kan niet lopen, ik kan helemaal niets. Liggend kijk ik naar het plafond, en het plafond kijkt terug. Soms staar ik voor de afwisseling naar de muur, en ook de muur staart terug. Mijn buurman slaapt, ik hoor hem zachtjes snurken.

Vanavond krijgen we leverworst voor op brood. Een rond metalen doosje met folie als deksel ligt op het dienblad, uitgerekend leverworst. Als kind hield ik al niet van leverworst, met een gevoel van walging schuif ik het doosje opzij. Vijf of zes dagen na een levertransplantatie, is leverworst dan niet een beetje ongevoelig?

Lever heb ik nog nooit lekker gevonden. De geur en de merkwaardige consistentie van lever hebben me altijd al tegengestaan. Als wij, mijn oma maakte dat zo nu en dan klaar, gebraden lever met ui, appelschijfjes en aardappelpuree aten, at ik de puree, maar de lever niet, die liet ik altijd onaangeroerd, net zoals leverworst, die bleekroze, vaak wat papperige massa, die meestal in een wit of crèmekleurig wasachtig vel zit. Voor het avondbrood lag hij naast de ham en de vleesworst op het draaibare plateau dat in het midden van de ronde eettafel stond. Soep met leverballetjes daarentegen heb ik, vreemd genoeg, altijd graag gegeten.

Ik hoor een helikopter, maar zie hem niet, de nachtelijke hemel achter het raam is zwart. Ik hoor de helikopter landen, heeft hij een zwaargewonde gebracht? Nieuwe organen? Hij blijft niet lang, stijgt weer op, en ik vlieg mee, hang aan zijn landingsgestel, hoog boven de stad, en zie alles vanboven, de kliniek, de binnenhaven, de snelweg door de stad en vliegveld Tegel, hoelang hou ik het vol zo te hangen? Lichtjes, lawaai, herrie, dan weer stilte, aangename stilte. Het is zo stil in het ziekenhuis, ik hoor de muren, wat vertellen jullie mij, lieve muren, ik hoor jullie fluisteren en mijn buurman hoor ik ademhalen, soms is er een geluid op de gang, uit de verte, een geluid dat de stilte daarvoor accentueert. Niemand schreeuwt, niemand kermt, iedereen slaapt.

118

Een verpleegkundige komt me de afdelingstelefoon brengen. B. is aan de lijn, hij belt uit Italië en zegt dat het goed met mij gaat. Op zijn verzoek – ik heb daar waarschijnlijk doorheen geslapen – is een van zijn leerlingen, een vrouwelijke arts van de afdeling hiernaast, bij mij komen kijken. Mijn waarden, zegt hij, zijn verheugend. Het gaat goed met u, het gaat heel goed met u. Wat fijn om dat van hem te horen. Nu geloof ik het zelf ook.

Hij zit op zijn Italiaanse terras met uitzicht op zee. Ik zou naar voren moeten buigen – en naar voren buigen valt me zwaar – om het kanaal te zien, het Berlijn-Spandau-scheepvaartkanaal, misschien ook een van de met steenkool geladen aken. De per schip aangevoerde kolen worden later in de krachtcentrale Westhafen gestookt, ze produceren de stroom die hier de apparaten laat oplichten, knipperen en piepen.

119

Op mijn nachtkastje vind ik een brochure, ik weet niet wie die daar heeft gelegd. Een kleurige omslagfoto toont een knots van een vulpen in een enigszins wazige close-up, zo'n vulpen voor opscheppers met versieringen ingegraveerd op de gouden pen. De brochure, eigenlijk meer een folder, heet 'De bedankbrief', ik lees:

> *Wie iets cadeau heeft gekregen, heeft de behoefte daarvoor te bedanken. Is het cadeau van zo'n onschatbare waarde als een levenreddend orgaan, dan lijkt voor veel orgaan-ontvangers een eenvoudig bedankje te weinig.*

Heb ik de behoefte om te bedanken? Als kind had ik daar nooit veel zin in. Altijd werd ik gemaand een of andere tante te bedanken, zelfs als het cadeautjes waren waar ik niets aan vond. Maak toch een tekening of schrijf een kaartje, hoor ik de stem van mijn moeder zeggen, en dan zat ik voor een leeg wit blad. Voor de dolk die ik als negen- of tienjarige in mijn buik had willen rammen, heb ik graag bedankt, in dat geval was het heel gemakkelijk, ik maakte met kleurpotlood een tekening van de dolk, rolde het blaadje op, bond er een lintje omheen en belde aan bij de buurvrouw die hem uit Marokko voor mij had meegebracht, van een bazaar, nam ik aan, waar ze ook toverpaarden en wonderlampen had kunnen kopen. Voor die tekening, de buurvrouw had zelf geen kinderen, kreeg ik vervolgens koekjes of chocola, ik weet het niet meer precies. Daarom bracht ik haar vaker tekeningen.

De wettelijke randvoorwaarden in Duitsland maken het
op het ogenblik niet mogelijk de identiteit van de familie
van de orgaandonor te achterhalen. Een anonieme be-
dankbrief is een mogelijkheid om te bedanken, waartoe
wij u willen aanmoedigen. Het bedanken van de naaste
verwanten van de donor kan een belangrijke stap zijn
voor zowel uzelf alsook voor de donorfamilie. Voor de
verwanten is het krijgen van zo'n brief een heel bijzon-
dere en buitengewoon emotionele gebeurtenis, die wordt
opgevat als een bevestiging van hun keuze. Een groot deel
van de donorfamilies hoopt op zo'n teken.

Ja? Dan zou ik toch eerst aan briefpapier moeten zien te komen. Ik zou naar de schrijfwarenwinkel aan de Amrumer
Platz moeten gaan, zou moeten opstaan, me aankleden en
de kamer uit, de gang door, langs de glazen kast en door de
afdelingsdeur naar de liften moeten lopen, zou op een lift
moeten wachten en daar dan in stappen, op de knop met o
voor de begane grond drukken en naar beneden gaan. Onder
de kastanjes op de Mittelallee zou ik me richting hoofdingang moeten oriënteren, zou over de binnenplaats en door
de poortgebouwen moeten lopen, langs het bloemenstalletje
en het naar frituurvet stinkende eetkraampje, via troosteloze
plantsoenen en over de enorme kruising, die in niets verraadt
dat ze een plein wil zijn, en ten slotte zou ik de deur naar de
schrijfwarenwinkel moeten openen, achter de keerplaats van
de doodlopende Triftstraße, ik ben daar al vaak geweest, ik
hou van die winkel. Daar zou ik briefpapier kunnen kopen
en een nieuwe vulpen, een derde, vierde of vijfde vulpen, een
die niet lekt en waarmee, aldus mijn magisch denken, het
schrijven me gemakkelijker afgaat omdat een nieuwe vulpen
vast iets te zeggen heeft, de zinnen zullen er vanzelf uit vloei-
en, zomaar.

Bij het formuleren van een bedankbrief rijzen er veel
vragen: mag ik zo'n brief wel schrijven? Zal ik de juiste
woorden vinden om de gevoelens van de rouwende fami-
lie niet te kwetsen? Waar stuur ik de brief naartoe?

Ik heb altijd al graag brieven geschreven, ik heb eigenlijk altijd
liever brieven geschreven dan gepraat, ja, denk ik nu, ik heb
altijd liever brieven geschreven dan te zeggen wat niet gezegd
kan worden. Het is al een keer voorgekomen dat ik aan een
mij totaal onbekende vrouw heb geschreven, aan een Finse,
dat moet in 1991 of 1992 zijn geweest. Ik schreef haar omdat
ik jarenlang een uit een jeugdblad gescheurde advertentie had
bewaard waarin stond dat zij, de Finse, correspondentievrien-
den zocht, haar hobby's waren *sailing, surfing and reading.* Op
het piepkleine fotootje, nauwelijks zo groot als de nagel van
een kind, glimlachte een blond meisje met een krullerig page-
kopje – ik nam in elk geval aan dat ze blond was, het was een
zwart-witfoto – ze glimlachte en ik wist het zeker: die glimlach was speciaal voor mij bedoeld. Ik was een jaar of twaalf,
dertien, maar zij al vijftien, ik wist dat ik geen kans maakte als
ik haar meteen zou schrijven. En dus scheurde ik de advertentie uit het tijdschrift en legde die in een la van mijn bureau.
Zeven of acht jaar later, ik woonde niet meer thuis en was al
een paar keer verhuisd, ruimde ik mijn bureau op en stuitte
op dat papiertje, wilde het al weggooien, maar dacht toen:
wat doet het ertoe, ik heb jou, *girl from the north country,*
nu al zo lang bewaard, nu kan ik je ook wel schrijven. En ik
schreef haar een paar regels over mijn leven en hoe het kwam
dat ze nu pas een brief van me kreeg. Nog geen twee weken
later lag er een antwoord in mijn brievenbus. Ze schreef dat
ze verbaasd was geweest, maar ook heel blij, haar moeder had
haar mijn brief uit haar geboortestad nagezonden, ze woon-

de nu in Helsinki, had een kat en werkte als administratief medewerkster. Hoewel ze destijds, zeven of acht jaar geleden, meer dan tweehonderd brieven had gekregen, was er geen blijvende penvriendschap uit voortgekomen.

120

In de folder, ik heb hem nog in mijn hand, wordt niets gezegd over een correspondentievriendschap. Er staat dat ik een anonieme brief moet schrijven en dat ik niets persoonlijks mag verraden, niets wat op een of andere manier conclusies over mijn identiteit toelaat. Maar hoe moet ik een totaal onpersoonlijke brief schrijven? Wordt dat niet een rare brief als ik niets over mijzelf mag verraden? Niet mijn naam, niet mijn leeftijd, niet de naam van de stad waar ik woon, misschien niet eens mijn geslacht? In deze brief zou ik een man of een vrouw zonder eigenschappen zijn. En zelfs dan was het niet zeker dat die brief de familie van de donor bereikt, want zij, de nabestaanden, mogen zelf beslissen of ze zo'n brief willen lezen of niet. Het bemiddelingsbureau laat hun alleen weten dat een orgaanontvanger heeft geschreven. En als ze hem niet weigeren, die brief, maar lezen – antwoorden mogen ze niet.

121

Maar kan ik wel een brief schrijven als ik nu al weet dat ik nooit een antwoord zal krijgen? Ik wacht immers altijd op een antwoord, dat was als kind al zo. Ik wachtte zo intens dat ik 's morgens om kwart voor zeven en nog in pyjama al even naar buiten ging om in de brievenbus te kijken, omdat ik wilde weten of er die nacht misschien post was gekomen. Op een keer betrapte mijn moeder mij daarbij en vroeg wat ik daar aan het doen was, 's morgens om kwart voor zeven in mijn pyjama voor de huisdeur. Ik probeerde me eruit te praten, dat ik de broodjes naar binnen wilde halen, die er overigens nog helemaal niet waren, de wagen van de bakkerij, die de broodjes kwam brengen, kwam meestal pas tegen twintig over zeven voorbijgereden, de bijrijder, een leerling, maar een paar jaar ouder dan ik, had de zak met broodjes nog helemaal niet op de bovenste trede van onze stenen trap geslingerd. Tegen de middag, toen ik uit school kwam, vond ik dan – wat had ik daar op gewacht – in de keuken een brief van Andrea, die ze mij vanuit Frankrijk had geschreven, ze logeerde daar een paar dagen in het kader van een uitwisselingsprogramma. Ik was vreselijk opgewonden over het slot van de brief, want er stond toch heus: 'Kusjes, Andrea'. Had ze me nu echte kussen gestuurd of niet? Ik was in de war.

122

Jaren later, in Parijs, de post kwam nog twee keer per dag, had ik af en toe het geluk 's morgens én 's middags een brief van Rebecca in de bus te vinden, meestal in enveloppen die ze had gevouwen van uit een tijdschrift gescheurde pagina's of uit een programmaboekje van een schouwburg, ik deed dat niet anders. Soms zou ik graag willen weten wat we elkaar destijds hebben geschreven, maar eigenlijk is het al genoeg dat haar brieven er nog zijn. Ze liggen, bijeengebonden, in een koffertje, dat op de loze zoldering of in de bergruimte staat. Mijn eigen brieven heeft ze vast weggegooid, lang voor haar dood, hoewel ik soms een heel eind gelopen ben om haar er een te brengen – even intens als ik op haar brieven wachtte, wachtte zij op de mijne, althans die indruk had ik. Op een keer, nog in Berlijn, ben ik 's nachts tegen halfdrie in Charlottenburg vertrokken, langs het Landwehrkanaal, door Tiergarten en door Schöneberg tot naar Kreuzberg, door het Görlitzer Park en de Schlesische Straße af, over de Oberbaumbrug, waarvan de torens destijds nog in de Spree lagen, en aan de kant van Friedrichshain langs het oude stadsspoorstation de Warschauer Straße omhoog. Een nachtwandeling met omwegen, alleen om in de Boxhagener Straße een envelop in de bus te doen, een berichtje dat ze 's ochtends zou vinden, met het voorstel waar we elkaar 's middags zouden kunnen ontmoeten, een paar regels maar, waaraan ik vier of vijf uur had gezeten. De deur naar haar huis, haar destijds natuurlijk nog niet gerenoveerde huis, stond altijd open, de verroeste brievenbussen waren bereikbaar, maar aanbellen mocht ik niet, want ze woonde nog met haar vriend of exvriend samen, het was ingewikkeld. Toen ik thuis aankwam, scheen de zon.

123

Mijn buurman, bij wie de rechterleverkwab is verwijderd, kan vanwege de hitte niet slapen. Op een nacht vertrouwt hij me toe dat de langjarige vriendin van zijn zoon, zijn schoondochter in spe, de vrouw die voor hem als een dochter was, tijdens een reis naar Cuba, een soort vervroegde huwelijksreis van het stel, verliefd was geworden op een Cubaan. Ze was meteen nog daar in de Cariben bij zijn zoon weggegaan, was met de Cubaan getrouwd en had hem mee naar Duitsland gebracht. Zijn zoon was daarna nogal uit zijn evenwicht geraakt en had de teugels wat laten vieren. Tegenwoordig had hij, docent aan een middelbare school in Steglitz, een verhouding met een getrouwde collega, die collega was moeder van twee kinderen. Zo had hij zich dat voor zijn zoon eigenlijk niet voorgesteld, zegt mijn buurman, maar uiteindelijk leidt ieder mens zijn eigen leven.

124

Het is zo warm dat ik bijna naakt onder een laken lig. Ik til het niet graag op – de buik, mijn buik, de buik van dit lichaam wil ik liever niet zien. Maar dan tilt een van de verpleegkundigen het op, trekt het weg, en voordat ze een nieuw laken over me heen legt – ze slaat het in de volle lengte uit en laat het als een heel platte parachute op me neerdalen – zie ik het toch, dit iets wat zich onder mijn borstkast in mijn huid heeft vastgeklampt, het ziet eruit als een reusachtig zwart insect. Zijn zulke grote insecten niet allang uitgestorven?

Het reusachtige zwarte iets is de met zwart draad gehechte worst van huid, die zich uitstrekt vanaf het onderste uiteinde van het borstbeen tot aan de navel en zich daar splitst in twee andere huidworsten, die schuin omlaag richting bekkenbeenderen lopen. Naar wonden op schilderijen heb ik altijd graag gekeken, maar dit? Twee plastic slangetjes steken aan mijn rechterkant naar buiten, precies op de plek waar ik als kind altijd pijn in mijn zij had als ik te hard had gerend of bij het rennen verkeerd had geademd. De twee slangetjes boren zich door mijn huid alsof ze een poort bij me hebben ingebouwd, jammer genoeg geen USB, ik kan mijn telefoon er niet op aansluiten, het zijn maar analoge slangetjes. En plotseling realiseer ik me dat de wond ook echt een poort is, hier gaat het naar binnen en hier komt het er ook weer uit.

125

B. is terug uit Italië, hij staat in mijn kamer en vertelt. Hij vertelt dat de eerste levertransplantatie in Denver, Colorado, is uitgevoerd onder leiding van de chirurg Thomas Starzl, in 1963 was dat geweest, hij was hem later vaak op congressen tegengekomen. In de jaren daarna waren nog meer levertransplantaties geslaagd, maar pas in 1967, het jaar van de eerste harttransplantatie, had een getransplanteerde patiënt langer dan twaalf maanden overleefd. Puur chirurgisch had de operatie al vroeg geen al te grote hindernis meer gevormd, maar de afstotingsreacties hadden voor moeilijkheden gezorgd. Zonder effectieve onderdrukking reageerde het immuunsysteem van de ontvanger op het nieuwe orgaan, de eenjaarsoverleving lag destijds bij vijfentwintig procent, van vier getransplanteerden was er na een jaar dus nog maar één in leven.

Gedurende bijna tien jaar, krijg ik te horen, werd er nauwelijks vooruitgang geboekt, toen werden er nieuwe medicijnen ontwikkeld, ciclosporine en andere calcineurine-remmers kwamen op de markt, en in 1984, het is bijna niet te geloven, werd aan de voet van de berg Tsukuba, in de buurt van Tokyo, in een grondmonster een tot dan toe onbekende bacterie ontdekt met een verbazingwekkende immunosuppressieve werking. Het medicijn dat uit de werkzame stof van die bacterie werd ontwikkeld en in 1994 voor het eerst werd toegelaten, slik ik nu elke ochtend en elke avond, en dankzij dat medicijn gaat het zo goed met mij.

In Starzls autobiografie, B. heeft die voor me meegebracht, ik blader er een beetje in, beschrijft hij hoe hij tijdens een wandeling door een park naar twee meisjes kijkt
en zijn beide honden bij zich roept. Opeens is er sprake van
zíjn honden, nadat hij tevoren duizenden honden bij zijn
transplantatiepogingen heeft gedood, jarenlang heeft hij de
transplantatiechirurgie geoefend op honden, telkens weer
hondenlevers van hond naar hond getransplanteerd en alle
mogelijke immunosuppressiva in alle mogelijke combinaties
op ze uitgeprobeerd.

En de hele tijd had hij zelf honden?

Nu denk ik aan al die honden die ook voor mij gestorven
zijn.

126

De verpleegkundige heeft een ventilator gevonden en bij ons
in de kamer gezet, hij draait, zwenkt heen en weer en brengt
de lucht in beweging, maar 's nachts, dat was gisteren en eergisteren ook al het geval, neemt de nachtzuster hem mee.
Ze denkt waarschijnlijk dat wij slapen, in haar kamer is het
vast ook heel warm. Als we ernaar vragen, brengt een andere
verpleegkundige hem 's ochtends weer terug.

127

Zo warm als nu heb ik het vier of vijf jaar geleden voor het
laatst gehad, in Italië, toen ik Julia aan het Gardameer bezocht, in een huis dat aan Judith, een vriendin van Julia, voor
een paar weken in de zomer door een oudere aanbidder ter

beschikking was gesteld. Julia belde me van daaruit, vertelde enthousiast over het grote huis en nodigde me uit, smeekte me zelfs om te komen, dus boekte ik zonder lang nadenken, vloog van Berlijn naar Bergamo en reisde vandaar met de trein via Vincenza en Brescia naar Desenzano op de zuidelijke oever van het Gardameer. Toen ik daar uitstapte, was het bijna halftwee in de middag, de bus, die langs de westkant naar het noorden zou rijden, vertrok pas na vieren. De bar in het stationsgebouw was dicht, dus ging ik op een bankje op het voorplein zitten wachten. Zonder bagage was ik misschien gaan lopen, het was maar tien kilometer, maar het was erg warm, heel erg warm, en mijn tas, de bruine weekendtas die nu in de ziekenhuiskast staat, was zwaar, ik had te veel boeken meegenomen.

Nadat ik bijna een uur gewoon op dat bankje had gezeten om me zo weinig mogelijk te bewegen, pakte ik een boek waar ik in het vliegtuig al aan had willen beginnen en dat ik had meegenomen omdat ik wist dat het in Italië speelt. Ik begon te lezen en was verrast toen ik de naam Desenzano zag staan, de naam van de plaats waar ik me op dat moment bevond, en nog verbaasder was ik toen duidelijk werd dat er in het boek sprake was van uitgerekend dit station, het stationsgebouw en de taxichauffeurs op het voorplein, die ik, precies zoals het beschreven stond, in hun taxi's zag zitten dutten. En omdat zelfs het urinoir beschreven werd, het stationstoilet, dat sinds de bouw rond de eeuwwisseling kennelijk, zo heette het, niet of nauwelijks veranderd was, en ik toch naar de wc moest, stond ik op om ernaartoe te gaan, dacht daarbij dat ik het woord 'stationsurinoir' zeker sinds de dood van mijn opa meer dan twintig jaar geleden niemand meer had horen zeggen, en bevond me uiteindelijk voor de wasbak en de daarboven aangebrachte doffe spiegel, waarover ik vijf minuten daarvoor had gelezen. Hij hing er nog precies zo.

De blauwe bus, die op tijd kwam, was leeg. De buschauffeur verkocht me een kaartje, ik bleef de enige passagier die hij langs het glinsterende meer door Saló tot naar Gargagno vervoerde. Julia en Judith, allebei al bruinverbrand, ontmoette ik beneden aan het meer, ze rookten, rookten eigenlijk altijd, aan één stuk door. Volgens mij heb ik ze de daaropvolgende dagen niet één keer zonder sigaret gezien, Judith ging zelfs met een sigaret het water in, maar alleen tot aan haar knieën, het meer was ijskoud. Pas laat op de avond, na het eten op het terras van het huis met uitzicht op de bergen en op het meer, verklapten ze me dat Judiths aanbidder, de oudere man aan wie het grote huis toebehoorde, drie dagen daarvoor gestorven was, heel onverwacht, hier aan het meer, op de dag van hun aankomst, niet in het grote oude huis waarin wij waren ondergebracht, maar in het kleinere, nieuwere, verder naar boven op het perceel gelegen gebouw, dat een niet onbekende Berlijnse architect in plaats van het voormalige stalgebouw, de *stalla*, had gebouwd. Nu begreep ik waarom Julia had gezegd dat hier veel plaats was. Alle andere zomergasten waren vertrokken, wij drieën waren alleen, Judiths kind was bij zijn vader. Het meer, dat weet ik nog, maakte 's nachts klokkende geluiden, en de loodrechte rotswanden van de tegenovergelegen oever zagen er in het maanlicht uit als reusachtige grafstenen.

De volgende dag of de dag daarna huurden we een Dyas – Julia, dochter van een botenbouwer, wist alles van boten – en zeilden naar de overkant naar Malcesine en we lunchten uitgerekend in het hotel waar ik als kind de laatste vakantie samen met mijn ouders had doorgebracht. 's Avonds, toen we de boot terugbrachten, was mijn rug pijnlijk verbrand.

Spoedig daarop brachten we Judith naar het station in

Rovereto, ze stapte op de trein naar Triëst om daar de schilder te ontmoeten met wie ze destijds een verhouding had, een schilder die ik in Berlijn nu nog af en toe op straat zie, we groeten elkaar, hij woont in de buurt, is getrouwd en heeft twee kinderen. Julia en ik bleven nog een paar dagen in het huis boven het meer, gingen zwemmen, lazen en speelden badminton, plukten tomaten, die in de met oleander overwoekerde tuin groeiden, en kookten daar tomatensaus van, maakten tochtjes met de auto en aten 's avonds in een dorpsrestaurant boven in de bergen. Bij het sterfhuis, een witte, in de zon oplichtende kast, bleven we uit de buurt.

Of was het toch heel anders, vraag ik me nu af. Geen twijfel mogelijk, het was heel erg warm. En ik herinner me dat een van beide vrouwen de grandioze inval had gehad nog voor haar vertrek uit Berlijn een gevoerde envelop met wiet naar het Gardameer te sturen, die overigens leeg aankwam. En dat we op een nacht in het donker aan het meer zaten te roken en dat onze enige aansteker tussen de grote glibberige kiezelstenen viel. En dat we toen die aansteker bijna een uur lang vertwijfeld hebben gezocht, op handen en voeten, en ons daarbij, stoned en dronken als we waren, kapot hebben gelachen. Dat, zolang we zochten, de ene sigaret met de andere moest worden aangestoken, zonder onderbreking.

128

Mijn buurman, bij wie de halve lever is verwijderd en die zijn schoondochter in Cuba is kwijtgeraakt, wordt naar een andere kliniek overgebracht. Een ochtend lang lig ik alleen op de kamer, dan zegt de hoofdverpleegkundige dat ik naar een andere kamer ga, een mooiere, een nog mooiere kamer, maar ik weet al dat dat ziekenhuishumor is, de kamers zijn alle-maal hetzelfde. Ze pakt mijn tas uit de kast, begint voor mij in te pakken en rolt me, een klein reisje, één kamer verder, rolt me ook daar voor het raam. Een stagiair rolt het nacht-kastje achter ons aan, mijn pijnstillerdepot blijft onontdekt.

129

Omdat ik weer zo getranspireerd heb, brengt de verpleeg-kundige een nieuw nachthemd, helpt me uit het hemd dat ik nog aanheb, trekt het schone nachthemd over mijn hoofd en knoopt het in de nek dicht, de slangetjes en de zakjes die eraan hangen haalt ze voorzichtig door de korte mouw. Me-zelf alleen aankleden kan ik nog niet. Het bevalt me dat de verpleegkundige niet nachthemd, maar vleugelhemd zegt. Vleugels zou ik namelijk graag hebben.

Ik moet aan Rebecca's nachthemd denken, dat in Parijs bijna een halfjaar onder mijn hoofdkussen lag, in de woning waar het Heiner-Müllercitaat hing. Duitser zijn betekende ook indiaan zijn, dat las ik daar elke ochtend. Haar nacht-hemd, een witte, van haar oma geërfde kanten nachtpon, had ze na haar eerste bezoek laten liggen, als aandenken, bo-vendien kon ze zo beweren dat ze nog een nachthemd in Pa-rijs had. Bij haar tweede bezoek ergerde ze zich erover dat ik de nachtpon niet gewassen had, maar daar had ik een goede reden voor, ik wilde immers dat er iets rook zoals zij.

Ik doe een greep onder het dunne ziekenhuiskussen – maar daar ligt alleen mijn stille, op trillen gezette mobiel met het kabeltje voor de koptelefoon, geen geërfde kanten nacht-pon, jammer. Vreemd genoeg heb ik ook nu nog, anderhalf, bijna twee decennia later, een precieze voorstelling van hoe dat nachthemd rook. Het was een geurbatterij die Rebecca's geur uitstraalde en die nu, zoals ik hem in herinnering heb, in mijn neus stroomt. Als ze dat nachthemd aanhad, scheen het nogal door. Had ze er niets onder aan, dan was haar schaamhaar door het kant heen te zien.

130

En weer: kan ik mijn geheugen vertrouwen? Is er misschien een nieuwe herinnering bij mij ingeplant? Heb ik opeens een ander verleden en dat tot nog toe niet gemerkt? Zijn het wellicht jouw herinneringen? Was dat niet Rebecca's nachthemd, maar het jouwe?

Ik ben nu een chimaera, B. heeft het me uitgelegd: na een transplantatie treedt in het beenmerg van de ontvanger het verschijnsel van de chimaera op. Genotypisch ben ik niet langer alleen maar degene die ik was, ik ben nu ook de persoon van de donor, van jou dus. De biochemie, die bewustzijn in mij voortbrengt, is een andere geworden. Ik geloof dat het de jouwe is. Ik heb nu proteïnen in mijn bloed die ik vroeger niet had omdat mijn eigen lever ze niet meer of nog niet kon produceren, en dus zou ik gevoelens kunnen hebben die ik nog niet of niet meer ken. Ik ben een samengestelde nieuwe mens, aangevuld en verbeterd, een chimaera, een hybride, bijna een replicant.

131

In *Reasons and Persons* vraagt Derk Parfit zich af hoeveel cellen van zijn lichaam hij tegen cellen van Greta Garbo zou moeten ruilen om uiteindelijk Greta Garbo te zijn. Zijn de cellen van een hand genoeg? Die van de benen? Moeten die van het gezicht erbij zitten? Zijn die van Greta Garbo's hersenen nodig? Volgens Parfit is de identiteit van een persoon feitelijk ondefinieerbaar en ernaar vragen is irrelevant, want psychologische en fysiologische continuïteit veronderstelt geen identiteit, die zou niet noodzakelijk zijn om te overleven. Ik zou dus Derek Parfit, Greta Garbo of iemand heel anders geworden kunnen zijn, bijvoorbeeld jou. Ik heb immers genoeg cellen van jou in mij – maar wacht even, ik denk dat identiteit geen rol speelt, ach, ik zal jou, mij, ons voortaan Greta Garbo noemen.

132

's Nachts word ik weer wakker van de helikopter. Brengt hij een koelbox met twee nieren en een hart op ijs? Een long, een alvleesklier? Midden in de nacht klinken landende helikopters naar oorlogsfilms over Vietnam, *Apocalypse Now*, ik lig in een te warme kamer onder een plafondventilator, ik eet erwten, ik vlieg in een helikopter, luister naar de *Walkürenritt*, zie de golven, brandende dorpen en de napalmregen, die op de jungle neerdaalt, vaar met de patrouilleboot de pseudo-Congo op, en voordat ik tot het hart van de duisternis ben doorgedrongen, schuift, cut, een andere film ervoor, de scène aan het einde van *Revenge of the Sith*, *Star Wars Episode III*: Anakin Skywalker vecht tegen zijn vriend en leermeester Obi Wan Kenobi, wordt verslagen en glijdt verminkt, hij mist beide benen, de roodgloeiende lava in, zijn lichaam begint te branden, met zijn mechanische handprothese houdt hij zich nog vast, Anakin zou eigenlijk dood moeten zijn, maar wordt door de onverwachts arriverende imperator gered, robots opereren wat er van zijn lichaam nog over is, verbeteren en completeren hem, meten hem nieuwe superprotheses aan en zetten hem de zwarte helm op, ademmasker en monitor tegelijk, de kap die Anakin tot Darth Vader maakt – ik haal adem, het duizelt me. Stilte.

133

De volgende dag lees ik in de krant over een boer bij wie de armen van een dode zijn getransplanteerd, zijn eigen armen had hij in een maïshakselaar verloren. De operatie had vijftien uur geduurd, meer dan veertig chirurgen, anesthesisten en verpleegkundigen hadden aan de operatie deelgenomen, twee parallel werkende teams transplanteerden elk een arm. Een bijkomende complicatie was dat met de armen zoveel huid mee overgebracht wordt. Vreemde huid lokt bij de ontvanger een sterke immuunreactie uit, het beenmerg van de getransplanteerde armen produceert eveneens afweercellen, die op hun beurt de ontvanger aanvallen. Terwijl ik dat lees, vraag ik me af hoeveel immunosuppressieve medicatie die patiënt krijgt, hoe gigantisch hoog zijn dosis wel niet moet zijn. De zenuwen zouden langzaam moeten ingroeien, lees ik verder, al na een jaar, heet het, zal de patiënt één arm kunnen bewegen, de andere helaas nog niet. Al na een jaar? Is het woord 'al' hier wel op z'n plaats? Ik kijk naar mijn linker-, vervolgens naar mijn rechterarm, bekijk beide, beweeg ze een beetje – eigenlijk bevallen ze me heel goed. Ik wil ze houden.

134

In een aflevering van de animatieserie *Futurama*, herinner ik mij, bijt de dinosauriër van een dinopark bij de held Fry allebei zijn handen af. Gelukkig bevindt zich in het New New York van het jaar 3000 een in nieuwe handen gespecialiseerde winkel meteen om de hoek. Fry vindt zijn nieuwe handen dan ook veel mooier dan de oude.

135

De term 'verplanting' wordt tegenwoordig nauwelijks nog gebruikt, vrijwel altijd is er sprake van 'orgaantransplantatie'. Kennelijk bestaat er een schroom voor de botanische duidelijkheid van het beeld, waarbij het uit- en ingraven hoort. Het Latijnse woord 'transplantatie' versluiert het gebeuren, hoewel daar een hele plantage achter zit.

Verplanting klinkt naar tuinierswerk, naar onkruid wieden, over- en verpotten, spitten, bollen poten, met-aarde-bijvullen, licht-aandrukken, gieten. Naar grasmaaien, heggenroos- en fruitbomen-snoeien, bladeren harken in de herfst. Ik heb nooit graag in de tuin gewerkt en vraag me af waarom ik uitgerekend vandaag over grasmaaien droom, over het patroon, de strepen en bogen die ik op het gras teken – let op het snoer, hoor ik mijn moeder zeggen, niet over het snoer rijden, en aan de rand, daar aan de rand mogen geen sprieten blijven staan, anders moet je het later met de graskantschaar bijwerken. Tussendoor moest ik de volle opvangzak naar de composthoop brengen en daar leegmaken.

Gelukkig ben ik voortaan altijd van elk tuinierswerk vrijgesteld. In tuingrond liggen veel te veel kiemen op de loer.

Potplanten mogen ook niet meer. Geeft niet, ik heb altijd al een voorkeur voor snijbloemen gehad.

136

'A liver is viable only up to eighteen hours after harvesting' lees ik in Starzls autobiografie. In de oudere literatuur is sprake van *harvesting*, van oogsten, een woord waar ik van schrik. Ik stel me lichaamsfarms voor en denk aan de leveroogst van dit jaar. Hoe terughoudend en gedistantieerd klinkt daarmee vergeleken het Duitse *Organentnahme*.

137

Misschien kan ik maar beter denken dat er een reserve-onderdeel bij mij is ingebouwd. Net als bij een auto. Op die manier zou ik van die botanische metaforen af zijn.

138

Ik schuif een hand onder mijn hoofdkussen en tast naar Rebecca's nachthemd – maar ik lig niet te doezelen op de schuimrubber matras in de woning in de rue des Martyrs, zoals ik heel even dacht, ik lig in het ziekenhuis, in Berlijn, helemaal niet zo ver van Café Savigny, waar Rebecca en ik ons eerste afspraakje hadden, jaren geleden. We kenden elkaar van de universiteit, ze was de vriendin van een vriend van mij, en opeens zaten we daar, aten appeltaart met slagroom en hadden elkaar veel te vertellen – haar ouders, mijn ouders, haar kindertijd, mijn kindertijd, urenlang ging dat zo heen en weer, aan één stuk door, zij en ik, meestal afwisselend, soms tegelijk, het leek wel een duet. Volgende keer bij jou, zei ze bij het afscheid en kuste me, wat ongebruikelijk was, op de mond.

Twee of drie weken later kwam ze me opzoeken, we dronken thee en luisterden naar de *Goldbergvariaties*, die ik sinds die middag niet meer kan horen zonder aan haar te denken, ze stonden in de cd-speler op repeat. Het duurde lang voordat mijn hand op de hare lag, ze vroeg: En, hoe moet ik nu reageren? Ik zei niets, in plaats daarvan wachtte ik af of ze haar hand terug zou trekken, maar dat gebeurde niet. Een tijdje gebeurde er niets, tot ze met haar wijsvinger over de rug van mijn hand begon te strijken, ik geloof dat dat de tot dan toe opwindendste aanraking van mijn leven was. Mijn handrug is er nog, ik kijk ernaar, raak hem met mijn eigen wijsvinger aan, maar het gevoel van toen blijft weg, mijn hart begint niet te bonzen, het valt me alleen op hoe vlekkerig die handrug geworden is, toen Rebecca erover streek, was dat niet zo.

Ze streek over mijn hand, ze streek heel zacht, en het duurde niet lang of we hadden allebei niets meer aan. Van maart tot september zagen we elkaar bijna elke dag in Dahlem, in de buurt van de Freie Universität, in de hortus of op de ligweide in het Thielpark, altijd stiekem, want haar vriend was er ook nog. Toen mijn uitwisselingsjaar in Parijs begon, kwam ze me algauw opzoeken en liet haar nachthemd achter.

De verpleegkundige brengt een pakje wegwerpschorten, plus handschoenen, mondmaskers en mutsjes, de replicant gaat voor het eerst naar buiten, de frisse lucht in. Moet dat? Echt? Ze scheurt het pakje open, ontvouwt een van de jasschorten en trekt hem mij over mijn vleugelhemd aan, ik draag nu een donkergroene toog. Ze doet me een mondmasker voor, zet me een mutsje op en helpt de handschoenen aantrekken, geen latex handschoenen, nee, ze heeft witte handschoenen van stof meegebracht. Ik ga zeker naar een bal, ik word ziekenhuisdandy en astronaut, ingepakt voor de duik in de warme lucht op een andere planeet, ergens daar beneden, ettelijke verdiepingen onder ons.

En daar komt ook mijn koets al, mijn zweefvliegtuig. De fysiotherapeute duwt een rolstoel de kamer in, een gedrocht met zwarte wielen met spaken, die eruitzien als de loopwielen van een ouderwetse fiets, het mechanisme om de leuning te verstellen lijkt met de hand gesmeed. Die rolstoel moet nog van voor de oorlog zijn, waarschijnlijk hebben soldaten van de Wehrmacht erin gezeten en zijn ze zo door lazaretten geduwd. Is hij misschien recentelijk pas gevonden in een tientallen jaren verzegelde bunker, of komt hij uit een museum dat wegens bezuinigingen moest worden gesloten? Ik neem plaats in het voertuig, de overlevingsbuiltjes, de doorzichtige zakjes met vloeistoffen die uit mijn binnenste druppelen, de ene bijna zwart, de andere oker, legt de verpleegkundige op de zitting tussen mij en de rugleuning. Ik pas op dat ik ze niet platdruk.

140

Ik moet aan een schoolvriendin denken, van wie de vader rolstoelen, krukken en protheses verkocht, 'zorgspeciaalzaak' werd dat genoemd. Na het laatste uur ging ik soms met haar mee naar huis, haar ouders waren rond die tijd nooit thuis, ze hadden beiden een eigen zaak, de vader zijn winkel met verpleegartikelen, de moeder een lingerieboetiek. Meestal lagen we in haar kamer op bed, aten pizza en luisterden naar platen. Ze had heel veel platen, lp's, vinyl, later ook cd's, en kocht, ze kreeg veel zakgeld, elke week een paar nieuwe. In het daarvoor eigenlijk te kleine tuintje had haar vader een kunstmatige waterval laten aanleggen, die je met een afstandsbediening niet alleen aan en uit, maar ook harder of zachter kon zetten – ik hield van het klaterende geluid ervan, een permanent geruis lag als een tapijt onder, soms ook boven alle andere geluiden. Soms trok ze, ze heette Alexandra, haar T-shirt uit en liet me haar ondergoed met motiefje zien, dat ze in de winkel van haar moeder had uitgezocht. Haar Maja-de-Bij-beha beviel me het beste.

141

De rolstoel rolt door de als vanzelf opengaande automatische deuren naar buiten het bordes voor gebouw 4 op, het bordes waar de ambulances stoppen, de wagens van de begrafenisonderneming parkeren een eindje verderop. Ik ben weer beneden in de frisse lucht, ik leef. De rolstoel rolt over de Mittelallee onder de kronen van de kastanjebomen, het is heel groen, met hun dubbele rijen vormen ze een dak boven de allee, een donkergroene tunnel, de bast van de bomen vertoont doorgroefde patronen. Zo nu en dan hobbelt een fiets over de lichtgroene, knikkergrote babykastanjes, te vroeg afgevallen, afgeschud door de wind, ze zijn nog zacht. Eroverheen rijden maakt een akelig smakkend geluid.

Aan de fysiotherapeute, die me langs de witgeverfde retrobanken en de dubbelkegelvormige asbakken voortduwt, stel ik voor mij nog verder te duwen, over de Südring richting noordelijke oever naar het pad langs het kanaal, en waarom niet meteen de helling af, tot aan het water. In plaats van dat te doen dwingt ze mij op te staan, ze heeft een stem die ik niet kan weerstaan, ik moet doen wat zij zegt, mijn eigen wil, waar is die gebleven? Ze dwingt me een paar passen te lopen, twee, drie, vier, vijf, zes, zeven passen, een ongelofelijk eind, blijkbaar ben ik nu op een andere planeet geland, eentje waar de zwaartekracht veel groter is dan op aarde. De fysiotherapeute draagt de doorzichtige plastic zakjes met mijn lichaamssappen achter me aan, de twee dunne slangetjes, die zich door mijn huid boren, vormen de lijn waaraan ze mij uitlaat. Als ik me omdraai omdat ik toch liever weer zou gaan zitten, staat de rolstoel ver, heel ver weg.

142

Rijden in een rolstoel is als rijden met de camera vanuit een ongewoon laag perspectief en ik herinner me een documentaire waarin Éric Rohmer tijdens het filmen werd getoond. Met de camera in zijn hand zat hij in een rolstoel en liet zich door een keuvelend acteurspaar over het trottoir trekken. Ik meen dat het ging om opnamen voor *Les Rendez-vous de Paris*.

We steken een zebrapad over, dat eruitziet alsof een hongerig dier sommige strepen heeft aangeknabbeld. Een van de tuinmannen in het plantsoen balanceert een motorzaag aan een meters lange steel naar een tak, het duurt maar een paar seconden of de boom begint te loeien, de tak valt. Vijf politieagenten staan in donker gevechtstenue voor de oogkliniek, hun kogelvrije vesten en de schoudervullingen verbergen secundaire geslachtskenmerken, pas op het tweede gezicht zie ik dat een van hen een vrouw is. De lijkwagen van een begrafenisonderneming uit Osnabrück staat in de berm geparkeerd, een Ford met crèmekleurige gordijntjes en folie in precies dezelfde kleur tegen de inkijk achter de ruiten, zodat de doodkist niet te zien is. Een medewerker van het Charité-facilitymanagement komt voorbij op een soort driewieler, geen voertuig voor mensen met evenwichtsproblemen, maar een transportmiddel met een klein laadvlak achter het zadel waarop een vuilnisbak staat naast twee bezems en vuilnisblikken in de daarvoor bestemde houders. Hier en daar lichtkoepels van glas, op het ziekenhuisterrein is vrijwel alles onderkelderd, een onderwereld onder de onderwereld. Er loopt een mier over een stoepplaat, wijkt uit naar links, dan naar rechts, meandert, volgt een geurspoor, weet waarschijnlijk helemaal niet wat zijn doel is.

Ik heb bezoek, ik krijg vrij vaak bezoek, deze keer Susanne. Samen met de verpleegkundige helpt ze bij mijn metamorfose, ik word weer astronaut en dandy, Susanne duwt de rolstoel. We draaien een rondje over de Mittelallee, langs de kleuterschool van het ziekenhuis en de speeltuin. Voor cafetaria West parkeert ze me in de zon en koopt een ijsje voor ons, gepasteuriseerd voorverpakt fabrieksijs mag ik eten, bijna zoals in het buitenbad, behalve dat Susanne geen bikini aanheeft. En ik heb ijs aan een stokje nog nooit met witte handschoenen gegeten.

Susanne vertelt over haar zoon en diens vader, van wie ze zich weer eens wil laten scheiden, ze heeft al een eigen woning, maar stelt de definitieve verhuizing telkens weer uit. Het is warm, er waait warme lucht onder mijn vleugelhemd, en terwijl ik naar Susanne luister, word ik in beslag genomen door mijn erectieprobleem, ik heb het al een paar dagen, boven in bed en hier beneden, de rolstoel is een erectiemobiel, sinds ik daarin word rondgereden, heb ik een stijve, een pijnlijk harde stijve, het doet zeer. Ik voel me net een kever met een uitgestoken onderbuikvoelspriet, het lijkt wel of mijn pik de wereld opnieuw wil aftasten, alsof ik, dit lichaam, deze zielige figuur met z'n jasschort en z'n mutsje, geen ander probleem zou hebben.

Susanne praat nog steeds en zet koers naar het onoverzichtelijke gedeelte van de tuin, richting isoleerafdeling. Ik moet er opeens aan denken dat we het ooit, jaren geleden, in het portiek van haar huis hebben gedaan, 's nachts, ze was toen, maar dat had ze me niet gezegd, al zwanger, een andere keer op een galerij op de zeventiende verdieping van een flatgebouw in Märkisches Viertel, de deur stond open, met uitzicht op Alt-Lübars. Nu gaat ze op een bank zitten, tegenover mij, en ik overweeg of ik mijn nachthemd niet een beetje naar boven zal trekken en haar over mijn erectieprobleem zal vertellen, dat immers, ik weet het, een fysiologische oorzaak heeft: de nieuwe lever slaagt erin het oestrogeen in mijn bloed beter af te breken, waardoor ik een ongewoon hoge testosteronspiegel heb en misschien ook een beetje in de war ben, want plotseling zie ik de ijs etende, in het wijdlopige verhaal van haar scheiding verdiepte Susanne aan mijn pik likken, ze heeft een greep onder mijn steriele toog gedaan en hem tevoorschijn gehaald, ze likt en zuigt en bijt tot we elkaar uiteindelijk kussen.

Later duwt ze me terug.

145

De man in het bed naast het mijne. Zijn gesnurk klinkt geruststellend.

146

Daar zit je weer op mijn bed, vandaag in een bloedrode trui. Ik kan niet zien hoe oud je bent, ik weet niet hoe je heet, je zit daar in het halfdonker, een verloren profiel, je zou zeventien kunnen zijn, maar ook zevenendertig of vierenveertig, want ik kan je gezicht niet zien, eigenaardig wazig ziet het eruit, alsof het gesoftfocust is of onherkenbaar gemaakt. Ik weet niet eens of je een man of een vrouw bent geweest en waar je gewoond hebt tot een paar dagen geleden. Ik weet alleen waar je nu bent, hier, bij mij, verder weet ik niets, helemaal niets, ik ken je haarkleur niet en weet niet hoe je ruikt, jij, de vrouw die ik bij elkaar fantaseer, de vrouw die een donorcodicil in haar portemonnee had, de achttienjarige die zonder helm van haar Vespa is gevallen, de jonge moeder die bij het zwemmen verdronken is, de oudere vrouw met een hersenbloeding, maar misschien was je wel een gefrustreerde oude man, televisieverslaafd, lelijk, veel te dik en boosaardig. En ik word het nu ook.

Ik kan mijn lever niet voelen. Er zitten geen zenuwcellen in de lever, er zitten er ook geen om de lever heen. Maar jou kan ik voelen, jij bent er. We kennen elkaar niet en toch ook weer wel, ik droom jouw dromen, jij hebt immers de droomchemie meegebracht.

En hoe zijn we nu familie van elkaar? Ben jij mijn nicht, mijn tante, mijn weefselnichtje? Ben jij de zus met wie ik een verhouding heb, waarvan natuurlijk niemand iets weet? Ben jij bruid en zus van de broer, bloeit er nu inteeltbloed?

Uit mijn dossier weet ik dat ik een Eurotransplantlever heb, vandaar dat ik ook weet dat jij, hoewel ik je soms Spaans hoor spreken, waarschijnlijk niet uit Spanje komt. Spanje verdeelt donororganen nationaal, Eurotransplant, de stichting uit Leiden, verdeelt de donororganen uit de Benelux, uit Duitsland, Oostenrijk, Slovenië en Kroatië. Het zou dus best kunnen dat jij net als mijn vader uit Oostenrijk komt en ergens in Oberösterreich of in Burgenland tegen een boom of een rots bent gereden, je zou ook in België, in Nederland of in Luxemburg gestorven kunnen zijn.

Eurotransplant gelooft dat wij bij elkaar passen. Eurotransplant was van mening dat we het met elkaar moeten proberen, jij, mijn match, en ik, dezelfde bloedgroep, resusnegatief. We hebben elkaar gevonden. En zijn elkaar misgelopen, maar blijven nu bij elkaar. En leven nog een beetje, jij door mij en ik door jou.

Ik weet niets over jou, ik weet helemaal niets. En toch mis ik je, ik mis je waanzinnig.

149

Ik weet in elk geval wel wanneer je overleden bent, ik ken je sterfdag, het is de dag van de operatie. Van tevoren, voor het telefoontje, heb ik af en toe gedacht: ergens in Europa loop jij nu rond, je zit in de auto of in de bioscoop, kijkt een film, bent aan het fietsen, ligt in een buitenbad op het grasveld, leest een boek of bladert er alleen in, eet kruimelvlaai, spaghetti of een runderlapje. En weet niet dat je binnenkort dood zult zijn.

150

Een jonge verpleegkundige komt met het middageten de kamer in. Vandaag heeft hij geen spaghetti, geen runderlapje, en ook geen kruimelvlaai in de aanbieding. Wel een of andere soep, gepureerd.

Ik word steeds lichter. Er loopt water uit mij naar buiten, al het buikwater dat ik de laatste jaren met me meegezeuld heb, loopt eruit. De oesophagusvarices, de spataders in de slokdarm, die me bijna het leven hebben gekost, verschrompelen, het bloed stroomt door de nieuwe lever, er is geen stuwing meer, geen portale hypertensie, ik hoef geen bandligatuur meer te ondergaan, de volgende afspraak wordt afgezegd.

En ook mijn waarden worden beter, de ammoniakspiegel daalt, ziet de wereld er al anders uit, wordt de sluier opgelicht? Is dit geen mooie kamer waarin ik nu lig? De zon schijnt, voor het raam staat een boom, en echt waar: ik heb heel veel geluk gehad, ik ben er nog, jackpot, hoofdprijs, er komen voor mij alleen nog maar goede dagen, vita nova, nieuw leven.

151

Een goede fee is gekomen en heeft gezegd dat ik nog een paar jaar mag blijven. Nee, ze is niet langsgekomen, ze heeft opgebeld, vroeg in de middag, ik zat aan mijn bureau, en ze zei: Je zou nu eigenlijk moeten sterven, maar wij feeën hebben vandaag besloten dat we het nog een keertje met je willen proberen, je mag nog leven als je... de voorwaarde heb ik helaas niet verstaan, de verbinding was te slecht.

152

En jij, orgaan, ben je nu echt van mij? Van wie is een getransplanteerd orgaan eigenlijk? Heb ik het cadeau gekregen of is het nog steeds van Eurotransplant, van de kliniek of van de zorgverzekeraar? Is het misschien zo dat ik jou alleen maar hoef te bewaren, verzorgen, doorbloeden, onderhouden? Ben ik alleen de kas, het apparaat dat jou in leven houdt? Zou er op een dag een brief in de bus kunnen liggen waarin ik lees: Meneer W., we willen onze lever terug, zou u zo vriendelijk willen zijn op de zo- en zoveelste naar het ziekenhuis te komen, we hebben een betere kandidaat gevonden, iemand die hem meer verdient, beter verzorgt, er meer mee doet.

Dat zijn nog eens angsten.

Ik zou je sowieso kunnen doorgeven. Cadeau doen. Als ik nu doodging, zou jij, lieve geleende lever, eruit geopereerd en opnieuw verplant kunnen worden. Het is ook al voorgekomen, vertelt B., dat een orgaan meermaals getransplanteerd is, zakdoekje leggen, niemand zeggen.

153

Het artikel dat ik lees over een geval in Amerika is niet bepaald bevorderlijk voor mijn gemoedsrust: een patiënt, een jongen van vijftien, wil na een tweede levertransplantatie niet meer. Hij verdraagt de pijn niet langer, wil gewoon niet blijven leven, en stopt met zijn immunosuppressieve medicijnen, weigert ze in te nemen, waarop zijn artsen hem door de politie laten oppakken, gedwongen opname ter bescherming van het orgaan, want het orgaan is naar de overtuiging van de artsen eigendom van de kliniek. Volgens rechterlijk besluit moet de jongen vervolgens toch ontslagen worden, deskundigen oordelen dat hij rijp genoeg is om te beslissen of hij wil leven of sterven. De vraag aan wie het getransplanteerde orgaan toebehoort, wordt overigens niet beantwoord. De jongen leeft nog een paar weken thuis, dan sterft hij. En met hem het orgaan.

154

Ik vertel B. over mijn denkbeeldige ontmoetingen met de vrouw die mij haar lever heeft afgestaan. Dat ik van haar droom. Dat ik me haar voorstel als een Finse of een Oostenrijkse. Dat ik een Europese liefdesgeschiedenis verzin, juist omdat ik niets weet.

Dan vertelt hij hoe vrijgevig artsen in de begintijd van de transplantatiegeneeskunde met de namen en gegevens van de donoren waren omgegaan. Er bestaan zelfs foto's van de eerste donoren, afgedrukt naast de foto's van de eerste ontvangers. Waarom zouden ontvangers en nabestaanden geen contact met elkaar opnemen, hebben ze gedacht. De ene kant kon bedanken, de andere vond wellicht troost. Waarschijnlijk hebben de vroege transplantatiechirurgen daar niet eens lang bij stilgestaan.

Toch kun je je voorstellen wat er zou kunnen gebeuren als een orgaanontvanger voor de deur staat en zegt: Goedendag, ik wil u bedanken voor het hart van uw overleden echtgenoot. Zijn hart hebt u toch al gekregen, schreeuwt de weduwe, wat wilt u nog meer? Zijn huis misschien? Zijn geld? Wilt u ook de rest van zijn leven? Wilt u mij erbij? Ik vergeef u niet, ik vergeef u uw overleving niet, brult de leeuwin.

Andersom gevraagd: zou ik er blij mee zijn als hier de deur van de ziekenkamer opening en jouw man plotseling aan mijn bed stond? Je moeder, je huilende kind, je broer, je minnares? Wat zouden zij van mij verwachten? En mocht ik hun, moest ik hun dan verklappen dat jij er nog bent, in mij voortleeft? En zou ik een brief van een vreemde willen krijgen die me vertelt hoe mooi zijn nieuwe leven is, zijn leven met het hart, de longen of de lever van mijn overleden vrouw?

Liever niet.

De boom voor het raam zwaait met zijn takken. Wenkt hij
mij? Moet ik komen?

Ik had ook niet met jou, maar met iemand anders kunnen
samenkomen, destijds, in die winternacht, kort voor vieren,
toen ik al een keer ben gebeld en niet wilde omdat ik het
kind niet wilde wekken. Het was een nacht van vrijdag op
zaterdag, de straten waren verijsd, ik vermoed dat er een ernstig ongeluk was gebeurd.

En nu, hoelang nog? De komende dagen? Een jaar? Vier, vijf
jaar? Zeven? Tien? Twaalf? Nou ja, laten we niet meteen te
hebberig worden. De tijd loopt, hij loopt gewoon af.

Ik word wakker en weet opeens niet meer of het al gebeurd
is. Moet de operatie nog komen of heb ik het al achter de
rug? Ik leg mijn rechterhand plat op mijn borstkas en schuif
hem langzaam richting navel, de hand gaat op expeditie
in het onzekere, hij weet niet wat hij kan verwachten, hij
dwaalt naar het zuiden richting navelequator, zoekt tastend
zijn weg, en al snel bereikt de voorhoede in de vorm van de

toppen van mijn pink en mijn ringvinger de eerste uitlopers van het worstgebergte dat zich direct onder het borstbeen verheft, de vingertoppen voelen dat de uitstulping zich vlak voor de navel vertakt, een eigenaardige formatie, denk ik, er strekt zich een dubbele Karpatenboog over mijn buik uit. Nu weet ik weer dat het gebeurd is.

159

En wat doet mijn moeder hier aan mijn bed, midden in de nacht? Is ze niet allang dood, zelfs als ik dat zo nu en dan vergeet? Nee, dat is mijn moeder niet, het moet een actrice zijn die een beetje op haar lijkt, ze ziet eruit zoals mijn moeder er een kwarteeuw geleden uitzag, alleen al daarom kan het mijn moeder niet zijn, ze zou geen dag ouder zijn geworden. De vrouw zit daar, merkt dat ik wakker ben, zegt goedendag en vraagt hoe het met mij gaat. Het gaat goed met mij, dank u, ik mag niet klagen. En met u?

160

De deur in de muur gaat open en dicht. Mijn moeder, mijn opa, Rebecca en andere doden kijken naar binnen. Hoe weten ze dat ik hier lig? Hoe weten ze dat ik nog leef?

Overdag komt er nooit iemand van hen door de deur, overdag is hij helemaal niet open, hij gaat alleen 's nachts open.

Eén keer sta ik op en wil ik zelf door die deur, maar daarachter liggen drie andere deuren, en als ik de linkerdeur open, liggen daarachter weer drie deuren en achter de linker weer drie deuren enzovoort. Waar zou ik terechtkomen? En hoe weer terug?

161

Was ook mijn vader zojuist hier? Heeft hij me niet daarnet de televisie in het ziekenhuis gebracht, ben ik weer twaalf of dertien en zie ik het ruimteveer exploderen? Zou hij niet hier moeten liggen, ziek, oud en zwak, en zou ik niet gezond naast zijn bed moeten staan om hem het beste te wensen? Hoezo lig ik hier en niet hij, zouden we de rollen niet moeten omdraaien? Ik geef het niet graag toe, maar zijn gezonde uiterlijk ergert me.

Zijn polshorloge ligt op het nachtkastje, negentig mark zou het gekost hebben, in 1995, een horloge met twee verhalen. In het ene is het een cadeau van zijn peetoom ter gelegenheid van zijn belijdenis, in het andere, het economische succesverhaal, heeft hij het horloge van zijn eerste zelfverdiende geld gekocht – hij zou vier lange zomervakantieweken op een bouwplaats gewerkt en met stenen gesjouwd hebben en was op de avond van zijn eerste werkdag zo uitgeput dat hij niet meer recht vooruit kon lopen.

Halverwege de jaren tachtig is hij ermee gestopt het horloge te dragen, het loopt, wat mij niet stoort, soms een beetje achter. Het hangt ervan af hoe ik mijn arm hou of de secondewijzer zich tegen de zwaartekracht in richting de twaalf omhoog kan werken, terwijl hij aan de andere kant juist vaak omlaagvalt. Dat ziet er dan uit alsof de tijd versnelt.

162

Opeens staat er een kind in de kamer, midden in de nacht, een jongen die ik helemaal niet ken, hoewel hij papa tegen me zegt. Sinds wanneer heb ik een zoon? En waarom komt hij midden in de nacht op bezoek? Moet hij niet slapen? Hebben wij dit kind gekregen? Van zijn moeder geen spoor.

163

Ik word wakker en ben blij dat ik er nog ben. Ik ben zo ontzettend blij, alsof ik er niet meer op gerekend had er nog te zijn, ik ben waanzinnig blij. Gewoon alleen maar omdat ik er nog ben? Ik ken die ochtendvreugde wel, het kind wordt soms zo wakker, ze lacht en is blij dat ze er is. Ze kan gewoon nog blij zijn, ze is nog niet zo lang op de wereld.

Met moeite kom ik uit bed, neem de zakjes in mijn hand, sla de ochtendjas om en wankel de kamer uit naar de gang. Mijn moeder zou nu zeggen, til je voeten op, maar ik slof tot aan de etenskar waarop de thermoskannen staan, pak een van de kopjes, eigenlijk zijn het bekers, en schenk koffie in. Zo slecht smaakt de koffie hier helemaal niet, ik vind hem zelfs best lekker, hij smaakt me elke ochtend beter, het klopt niet dat ziekenhuiskoffie – een wat zurige, niet al te sterke filterkoffie – niet smaakt. Vaak denk ik 's avonds, vlak voor ik in slaap val, al aan de eerste slok van de volgende ochtend, en soms is de voorpret dan zo groot dat ik helemaal niet meer in slaap kan komen.

Op de terugweg van de etenskar hou ik de koffiebeker vast zoals een pastoor de kelk in de mis. Het gaat zo goed met me, ik ben, hoewel ik pas een heel klein slokje heb genomen om op weg naar de kamer niet te morsen, al euforisch van de koffie, koffie is een toverdrank die mij verandert, motiveert. Ik wil nu toch die brief beginnen, ik wil plotseling die bedankbrief schrijven, het lijkt me ineens heel gemakkelijk zo'n brief te schrijven, het moet wel vanzelf gaan, jij weet toch het beste wat je aan die lieve verwanten van je wilt laten weten, ik hoef alleen de pen voor je vast te houden, dan schrijf jij wat je wilt. In mijn kamer ga ik op het bed zitten, sla het ruitjesbloc open en laat de vulpen, het is een nieuwe vulpen, eentje die ik in de schrijfwarenwinkel niet ver van de hoofdingang heb gekocht, op het papier zakken – maar er gebeurt niets. Ben jij soms al dood en kun je niet meer schrijven? Of wil je niet, wil ik niet meer? Ik neem nog een slokje koffie, maar de euforie is verdwenen.

164

Alle mensen die hier liggen, willen niets liever dan hun verhaal vertellen, kletsen me de oren van het hoofd met hun zogenaamde lot. Ze praten en praten aan één stuk door, alleen van jou hoor ik geen woord.

165

Plotseling realiseer ik me dat jij heel waarschijnlijk – en daaraan heb ik nog helemaal niet gedacht – ook in enkele andere mensen verder leeft. Ik heb jou helemaal niet voor mij alleen, liefste, ik heb je niet exclusief, ik moet je waarschijnlijk nog met andere orgaanontvangers delen, ik heb transplantatiebroers en -zussen zonder te weten waar.

Wij vijf of zes ontvangers zouden vrienden kunnen worden, het hart, de longen, de twee nieren, de alvleesklier en ik, de lever, we zouden elkaar kunnen tegenkomen zonder elkaar te herkennen – hoe zouden we dat ook moeten doen. We zouden op hetzelfde moment op dezelfde plaats kunnen zijn, op hetzelfde concert, op hetzelfde schip, in hetzelfde vliegtuig, we zouden samen kunnen neerstorten of als de enige overlevenden op een eiland aanspoelen – maar dat verhaal ken ik al, ik heb *Lost* gezien, alle seizoenen, en *Robinson Crusoë* herlezen, wat een boek.

We zouden, als door een onzichtbare hand geleid, samen ergens opgesloten kunnen worden, de twee vrouwen die ieder een nier hebben gekregen, de man met een long, ik, de lever, het kind met de alvleesklier en het hart, dat nu in de borstkas van een vierenvijftigjarige kunsthistoricus klopt, en beetje bij beetje komen we erachter wat ons verbindt. Toevallig – maar toevallen kunnen en mogen hier geen rol spelen – bevinden we ons allemaal in dezelfde cabine van een kabelbaan die boven een afgrond blijft hangen, toevallig komen we op een luchthaven in dezelfde lift vast te zitten en moeten we het een paar uur met elkaar uithouden, jaja, de hel, dat zijn de anderen, schouwburgbezoekers kennen dat.

Onze levenswegen zouden zich echter ook al eerder gekruist kunnen hebben, in vakantieparken, bij voetbalwedstrijden, op veerboten, op familiecampings, ach, en wat zou het een fantastische thriller opleveren als we na de transplantatie plotseling andere herinneringen en een ander verleden hadden, als we moesten vaststellen dat we plotseling geheimen kenden, de plaats waar de buit begraven is, de schuilplaats van een voortvluchtige, de oplossing van een raadsel, en opeens achternagezeten werden, over de hele wereld, omdat anderen op de hoogte waren van onze nieuwe kennis.

Of nog een ander scenario, twee of drie leden van de transplantatiefamilie ontmoeten elkaar in dezelfde revalidatiekliniek, het zou, onwaarschijnlijk is dat niet, zelfs al voorgekomen kunnen zijn. De datum van de operatie kan de geheime verbinding immers verraden.

166

Mijn buurman, ik heb al een tijdje verder geen aandacht aan hem geschonken, daar ben ik intussen goed in, begint over voetbal. We hebben het over het nieuwe Bundesligaseizoen, dat binnenkort begint. Hertha, Bayern, Schalke, FC Köln. Het nu bestaat nog, ik vergeet dat soms. We wisselen standaardzinnen uit, bouwstenen voor een voetbalgesprek, geprefabriceerd, uitwisselbaar, het zijn al jaren dezelfde, alleen een paar namen veranderen.

167

Ik zit voor het raam en kijk naar beneden. Een blonde vrouw loopt voorbij, zwarte panty's, de lichtgekleurde jas open, kort rokje, het haar achter met een speld vastgezet, witte oordopjes in. En reeds stel ik me de vraag, die nu al een reflex geworden is: heb jij er misschien zo uitgezien? Stap, stap, nog een stap. Ik kijk op haar neer, en misschien voelt ze dat ze geobserveerd wordt, een kleine verandering in haar beweging lijkt daarop te wijzen, ze draait haar hoofd een beetje opzij, kijkt om zich heen en steekt over.

Ik heb nooit begrepen op welke manier mensen merken dat ze geobserveerd worden, vooral uit een richting die helemaal niet in hun gezichtsveld ligt. Bestaat er zoiets als een intuïtieradar? Een sensor voor observatiepartikels? Als ik haar een berichtje kon sturen, zou ik de vrouw in de zomerjas alleen laten weten hoe mooi ze loopt en hoe leuk ik het vind dat ik vanuit mijn raam hierboven haar goudblonde haar zie stralen. Ze gaat de hoek om, is niet meer te zien.

Had je misschien oordopjes in? Welk liedje luisterde je toen je de drukke straat bent afgefietst? Wat zijn je honderd meest gespeelde nummers? En mijn oorwurmen, komen die nu van jou?

168

Misschien heeft een vrachtwagenchauffeur niet opgelet. Heeft weliswaar in zijn spiegel gekeken, maar jou niet gezien toen je op je fiets in de dode hoek kwam. Wilde je rechtdoor? Is de vrachtwagen toen afgeslagen? En jij, zoals altijd zonder helm? Zou een helm dan geholpen hebben? Heb je je bewustzijn verloren en ben je niet meer bijgekomen? Zat er een donorcodicil in je tas, in je portemonnee, tussen al je bibliotheekpasjes, pasfoto's, kassabonnen en bonuskaarten? Was je onderweg om een cadeautje te kopen, een boek voor je zus? Had je misschien geen gordel om? Ben je door de voorruit van een auto gevlogen? Had de auto waarin je zat geen airbag? Is de auto drie keer over de kop geslagen? Vier keer?

169

Ik moet weer aan Hanja en ons auto-ongeluk denken, dat was jaren geleden, en ik zie voor me hoe we allebei door de gebroken zijruit de auto uit klommen en vervolgens op handen en voeten door de scherven over de kinderkopjes kropen. De voorruit en de andere ramen waren verbrijzeld in kleine glazen dobbelsteentjes, brokjes kandijsuiker, die glinsterden in het licht van de maan en de straatlantaarns.

Ik had haar gebeld en overgehaald om mee te gaan naar de Staatsoper, *Dido en Aeneas*, een keer de onderwereld in. Niet omdat ik nou zo graag die opera wilde zien, ik wilde Hanja zien. Tijdens de voorstelling zaten we tegen elkaar aan, onze knieën maakten contact, gesprekken in de pauze, bla, bla, bla. Voordat we naar huis gingen, dronken we nog iets in een geïmproviseerde, inmiddels allang niet meer bestaande bar in de buurt van de Torstraße. In haar nog vrijwel nieuwe Peugeot reden we, komend vanuit de Tucholskystraße, de Spree over, ik bewonderde nog het panorama, het uitzicht op het Bodenmuseum met de televisietoren daarachter en haar profiel ervoor – en toen knalde op het kruispunt achter de Ebertbrug een andere auto op de onze. Aan mijn kant, de kant van de bijrijder. Een ambulance bracht ons naar het Charité-ziekenhuis, afgezien van een shock had Hanja niets, mijn zitbeen was gebroken.

De dag daarvoor had ze, dat had ze me vlak voor de botsing verteld, de ring van haar in Italië wonende vriend in de wc laten vallen. Na het ongeluk kwam ze elke dag bij me langs, deed boodschappen, kookte en bleef dan gewoon. Alleen seks was ingewikkeld, want ik kon me nauwelijks bewegen.

Had ik destijds al een donorcodicil? Zouden er in de nacht van dat ongeluk, als ik was doodgegaan, twee of drie telefoons gerinkeld hebben? Vast. Ik wist het eigenlijk al, op een dag is het zover, op een dag moet ik op de lijst.

Reconvalescentie, ik genees. Ik slaap, ik eet, ik krijg bezoek, van levenden, van doden. Ik zit aan het raam en hoor een fluit. Een fluit? Wie speelt er dwarsfluit in het ziekenhuis?

Ik heb zelf ooit dwarsfluit gespeeld, lang geleden, ik heb er zelfs nog een, van zilver, ik heb hem al vaak willen verkopen, maar kon er dan toch geen afstand van doen. Ik herinner me dat ik er bij de begrafenis van mijn moeder op gespeeld heb, mijn vader zei dat ze dat gewild zou hebben. Ik liep naar voren, de muziekstandaard stond er al, het boek met de noten was opengeslagen en met een metalen klemmetje vastgezet, ik verschoof de standaard een beetje, stelde de hoogte in, draaide de vleugelmoer vast en zette de fluit tegen mijn onderlip, plaatste mijn vingertoppen op de kleppen en begon. Ik weet niet meer wat ik speelde, een of andere etude uit mijn oefenboek, een eenvoudig stuk, dat ik al heel vaak geoefend had, het ging ook niet om virtuositeit, het ging om het idee van het fluitspelen, en ik dacht nog dat ik eigenlijk liever trompet dan dwarsfluit had geleerd, misschien ook slagwerk, maar na de blokfluitlessen was ik om de een of andere reden – had mijn moeder me misschien daartoe overgehaald? – met dwarsfluit begonnen en daarmee doorgegaan. Ik speelde dus en luisterde daarbij naar mezelf, zag mezelf in die uitvaarthal uit de jaren vijftig staan en naar de voegen tussen de gebroken tegels staren, de voegen vormden ingewikkelde patronen, schrifttekens die ik niet kon ontcijferen. Het stuk dat ik speelde, had ik eigenlijk uit mijn hoofd kunnen voordragen, de muziekstandaard had niet gehoeven, maar toen speelde ik toch een verkeerde noot omdat ik tijdens het voorspelen meende mijn moeder in het verzamelde gezelschap rouwenden te zien, alsof ze vandaar of van heel hoog boven op mij neerkeek. Op het idee dat ze uit de doodkist naast mij zou hebben kunnen kijken of luisteren, uit de doodkist die maar een klein eindje rechts van de muziekstandaard stond, kwam ik niet, want wat daar in die doodkist lag, ik had het lijk immers gezien, had niets met haar te maken, dat was een pop, een niet-levensechte, wasachtige pop, die alleen maar gemaakt was omdat er toch iets moest liggen.

Later heeft mijn vader zich erover verbaasd dat ik geen dwarsfluit meer wilde oefenen en al snel ook met de lessen stopte. Terwijl ik eigenlijk altijd met veel plezier in het schoolorkest had gespeeld.

171

En hoe was jouw begrafenis? Die kan toch nog niet zo lang geleden zijn. Het spijt me dat ik er niet bij was.

172

De eerste maanden na de dood van mijn moeder beweerde ik zo nu en dan op school dat ik naar de dokter moest, liet me een verlofbriefje geven en ging naar de begraafplaats, stond een tijdje bij het graf, gaf de bloemen water, trok wat onkruid uit en raapte de bladeren die naast het provisorische houten kruis waren gevallen. Ik kon nog steeds niet geloven, laat staan begrijpen, dat mijn moeder, die toch kort tevoren nog in het ziekenhuis had gelegen, nu hier in deze donkere, vochtige aarde zou liggen. Nee, mijn moeder was ergens anders.

Ik heb gehoord dat sommige getransplanteerden naar begraafplaatsen gaan en een graf uitzoeken, een graf dat hun bevalt, eentje met een welluidende ingegraveerde naam op een mooie steen, en er bloemen leggen. Of daar gewoon zitten. Misschien doe ik dat ook wel. Ik zoek een dode uit. Ik zou alleen de Seestraße hoeven over te steken, daar ligt de grote begraafplaats.

Met Julia liep ik graag over begraafplaatsen, we zijn samen op heel wat Berlijnse begraafplaatsen geweest. In Stahnsdorf op het Südwestkerkhof, op de Invalidenbegraafplaats, op de begraafplaatsen aan de Südstern, op het Schöneberger-eiland, in Weißensee en op de half vervallen begraafplaats achter het volkspark Friedrichshain. Ze ontdekte steeds nieuwe, ik geloof dat ze begraafplaatsen verzamelde.

174

Om drie uur heb ik een afspraak aan het einde van de gang, daarom kom ik even voor half met veel moeite uit mijn bed. Ik weet dat ik traag ben. Ik trek een nieuwe jasschort aan, zet een mutsje op, schiet de witte handschoenen aan, doe een mondkapje voor en verlaat om kwart voor de kamer. O ziekenhuisgang, jij bent mijn *grand boulevard*. Ik schuifel, elke schildpad zou sneller zijn, langs de kar waarop de koffie-, thee- en melkkannen staan en ook twee van het middageten overgebleven toetjes, een gele massa in plastic schaaltjes, het opgedroogde oppervlak rimpelig als oude huid. Ik schuifel langs de nis met de brandblusser, langs het kamertje met de weegschaal, langs de deur van de personeelskamer en langs de glazen doos waarin een verpleegkundige zit alsof het een receptie is, misschien is dit hier toch mijn kuurhotel in de bergen, mijn sanatorium op de zesde verdieping. Ik ga de hoek om, nog veertig, hoogstens vijftig meter te gaan tot aan het einde van de gang, maar de gang is langer geworden, verbeeld ik me. In elk geval tot aan het einde ervan te komen behoort tot de afspraak, want helaas heb ik geen rendez-vous, maar slechts een afspraak voor de fysiotherapie, totaal onnodig heb ik erover nagedacht of je met mond- en neuskapje wel kunt kussen.

Er staan een paar stoelen in een kring, vijf personen zitten al, één man heeft een draagbaar zuurstofapparaat bij zich. In het vertrek is het bedompt, maar als het raam openstaat tocht het, en tocht is slecht, daarom wordt het raam na een korte discussie weer gesloten. Sommige patiënten hebben een mondmasker voor zoals ik, ik vind het moeilijk door de lamellen te ademen, het is warm, maar beweging is goed voor me, zegt de fysiotherapeute, twintig, misschien tweeëntwintig jaar oud, ze heeft juist verteld dat het de eerste keer is dat ze de gymnastiek leidt. We moeten zittend het linkerbeen optillen en rondjes maken. We moeten zittend het rechterbeen optillen en rondjes maken. We moeten zittend de benen strekken, we moeten opstaan en eerst het rechter- dan het linkerbeen rondjes laten maken. We moeten met onze armen rondjes maken. Een van de patiënten, een oudere dame van rond de zeventig, het zou mijn moeder kunnen zijn, heeft haar nachthemd niet goed dichtgeknoopt. Zonder dat ik het wil, ik heb alleen mijn ogen niet snel genoeg dichtgedaan, zie ik hoe weinig er van haar lichaam over is, bijna niets is ervan over, het verbaast me dat zo weinig lichaam überhaupt een nachthemd kan dragen. Je zou bijna geloven dat ze al een spook is.

De zon schijnt, ik zit voor het open raam, de deur gaat open en een arts komt de kamer binnen. Hij zegt dat ik beter uit de zon kan gaan. Waarom? Ach ja, de waarschijnlijkheid aan huidkanker te overlijden is bij gebruik van een immunosuppressivum sterk verhoogd, honderd- tot vijfhonderdmaal hoger dan normaal. Nou ja – dan is de zon dus voortaan mijn vijand. Er zijn statistieken waaruit blijkt dat één derde van alle getransplanteerden aan huidkanker overlijdt. Iets wat ik eigenlijk niet wil weten. Ergens anders lees ik dat zich bij de helft van alle orgaanontvangers binnen tien jaar kwaadaardige tumoren in de huid ontwikkelen. Mooi vooruitzicht, ik mag niet meer in de zon. Warm krijg ik het toch wel.

176

Ik draag je met me mee, ik weet dat je in mij bent, ik heb je altijd bij me. Af en toe ben ik verbaasd dat ik ook wel eens een halfuur niet aan je heb gedacht. En dan denk ik onmiddellijk weer: o ja, ik ben nu niet meer alleen, nooit meer, want ik heb jou altijd bij me, ingezet, vastgenaaid, aangegroeid, je bent een stuk van mij.

Klink ik als iemand die het licht heeft gezien? Spreken niet alle heel gelovige mensen zo over hun Jezus, die naar het heet altijd bij hen is?

Het kind, schiet me te binnen, heeft ook ooit die rol gespeeld – toen ze net geboren was en nog lang daarna. De eerste maanden was elk moment en elke gedachte een kindermoment en een kindergedachte. Later, toen ze naar de kleuterschool ging, heb ik soms ook wel eens een uur of langer niet aan haar gedacht.

Het zeven- of achtjarige nichtje van mijn kamergenoot is op bezoek. Als ze hoort dat ik een nieuwe lever heb gekregen, vraagt ze hoe degene heet van wie ik mijn nieuwe lever heb. Dat zou ik ook graag willen weten, zeg ik, maar ik weet het niet. En wat doet híj nu? Heeft hij die van jou? Heeft hij jouw lever?

Ik vind het een mooie gedachte dat de transplantatie een soort uitwisseling van geschenken is, het ene orgaan tegen het andere. Ik wil het meisje liever niet uitleggen hoe kapot mijn lever was, ik wil haar niet zeggen dat niemand er iets aan zou hebben, dat niemand daarmee gelukkig geworden zou zijn.

Maar waar is jouw lever nu? houdt het meisje vol, ze wil het toch preciezer weten. Dus zeg ik: Die wilde niemand hebben. Hij is eruit gesneden, onderzocht en toen waarschijnlijk opgeruimd. Ik zeg 'opgeruimd' en denk 'weggegooid', waarschijnlijk is hij tegelijk met ander ziekenhuisafval verbrand, het ziekenhuis heeft een eigen vuilverbrandingsinstallatie, dat moet ook wel.

Pas de vraag van het meisje brengt me op het idee aan mijn eigen, oorspronkelijke, eerste lever te denken. Vierendertig, vijfendertig, bijna zesendertig jaar heb ik hem met me rondgedragen, overal naartoe, en even lang heeft hij meer of minder goed voor mij gewerkt. En heb ik nu helemaal niet meer aan hem gedacht?

Vóór de operatie wel. Ervoor wilde ik hem na de ingreep per se zien, wilde hem bewaren, conserveren, misschien bijzetten, hem begraven. En toen is hij bij de patholoog beland, en heb ik niet meer naar hem gevraagd. Mis ik je, oud stuk vlees?

B. zegt dat hij er waarschijnlijk uitgezien heeft als een grote, helemaal verschrompelde aardappel. Ik wil dat niet meer weten.

178

Er is een verhaal van een patiënt met een nieuw hart, die na de harttransplantatie zijn eigen, zijn oude, oorspronkelijke hart elke nacht onder zijn ziekenhuisbed hoort kloppen. Hij is zo bang voor zijn oude hart dat hij helemaal niet meer naar bed wil, niet meer wil gaan liggen. En als hij toch een keer gaat liggen, moet hij steeds weer opstaan om onder zijn bed te kijken of zijn hart daar klopt, want hij hoort het kloppen. Op het laatst gaat hij in de gemeenschappelijke ruimte zitten en valt daar in een stoel in slaap.

Zou hij *The Tell-Tale Heart* van Edgar Allan Poe hebben gelezen? Ik ben blij dat ik alleen af en toe een eend hoor, van wie ik het gekwaak niet kan verstaan.

179

Wat is een orgaan? Wat is het dat uit het lichaam van de een wordt gesneden en bij een ander weer ingeplant wordt? Een vroege definitie is afkomstig van Thomas van Aquino, die onderscheid maakt tussen organen en instrumenten. Terwijl een instrument, bijvoorbeeld een bijl, onafhankelijk van een bepaalde ziel bestaat, is een orgaan *unitum et proprium*, omdat het slechts één enkele ziel ten goede komt. Zo ongeveer staat het in het *Historisches Wörterbuch der Philosophie*, deel 6, trefwoord ORGANON. Ik kan dat op mijn telefoon lezen, zelfs hier in het ziekenhuis.

Om een getransplanteerd orgaan te veranderen in een aquinisch instrument dat niet langer alleen voor één ziel dienstdoet, maar achtereenvolgens door verschillende zielen – of immuunsystemen – benut kan worden, is het zaak ze te slim af te zijn. Dat lukt met het immunosuppressivum dat ik elke dag inneem, 's ochtends en 's avonds, capsules, ze smaken naar niets.

Organen zijn zelfstandig en onafhankelijk tegelijk. Ze kunnen niet op zichzelf bestaan en toch hebben ze een eigen leven, maar leiden dat uitsluitend binnen een organisme. Hun leven, hun *vita propria*, is alleen maar geleend, daarom, aldus Schelling, zijn organen individuen van wie de individualiteit zich slechts kan openbaren in afhankelijkheid van of in verhouding tot een overkoepelend organisme. Als een orgaan van het organisme gescheiden wordt, sterft het orgaan, maar het organisme sterft ook. Het is heel simpel: ik sterf zonder lever, de lever sterft zonder mij.

En dus is wat ik voel, dit leven dat ik nog heb, een samenspel van meerdere organen. Alles wat leeft openbaart zich nooit als enkelvoud, maar altijd als meervoud. Leven is de hybride verzameling van verschillende organen, een gemeenschappelijke praktijk, een concert waarbij elk afzonderlijk orgaan belang heeft bij het overleven.*

180

's Nachts, het raam staat open, hoor ik buiten de zee, hoor ik de branding in het ruisen van de boomkronen.

* Vgl. Katrin Solhdju, *Interessierte Milieus. Oder: die experimentelle Konstruktion 'überlebender' Organe*. Wenen 2010.

Bij het doorbladeren van de krant scheur ik de foto uit van een vrouw, die boven een in memoriam is afgedrukt. Ze is, lees ik, afgelopen week overleden. Net alsof ze, nu ik weet dat ze dood is, op de een of andere manier op de foto anders kijkt.

Toen mijn vader en ik voor de laatste keer bij mijn moeder waren, op een zondag, had ik een fototoestel bij me, een zware spiegelreflexcamera, metalen frame, Minolta SRT 101. Ik fotografeerde het ziekenhuis van buiten, het plaveisel, de witte lijnen op de parkeerplaats, maar ook de deurklinken en de ziekenhuisgang, alleen mijn moeder heb ik niet gefotografeerd, dat kwam niet bij me op. Op twee wazige, contrastarme opnamen van de ziekenhuisgevel in de motregen kon ik het raam van haar kamer aftellen, het was op de vierde of vijfde verdieping.

Daar lag ze op een schapenvacht, omdat het op een schapenvacht aangenamer zou liggen, op de afdeling oncologie van dat antroposofenziekenhuis, maar het o-woord kende ik toen waarschijnlijk nog niet. Ik weet nog dat ze me vroeg iets te vertellen, maar ik wist niet wat, wat had ik ook moeten vertellen? Van maandag tot en met vrijdag was ik naar school gegaan, misschien zelfs de dag ervoor nog, op zaterdag, we hadden elke tweede zaterdag les, het kan zijn dat ik een schriftelijke overhoring had gehad, een dictee bij Duits, een proefwerk Latijn. 's Middags heb ik huiswerk gemaakt en daarvoor of misschien daarna een of twee films gekeken, beneden in de woonkamer, films die ik van vrienden geleend of in de voorafgaande nacht opgenomen had, want de video-recorder kon geprogrammeerd worden. Videorecorders waren nog iets heel nieuws, net als het concept zelf thuis naar films te kunnen kijken wanneer het jou uitkwam, onafhankelijk van het tv-aanbod, onafhankelijk van de luttele drie zenders, die 's middags sowieso niets uitzonden. Misschien had ik, hoewel onwaarschijnlijk, dwarsfluit geoefend of was ik de stad in gegaan, naar de bibliotheek, wie weet, en had ik 's avonds gelezen of televisie gekeken of, een nieuwe vrije-tijdsbesteding, een spelletje gespeeld op de computer, die in de werkkamer van mijn moeder stond, ze gebruikte hem toch niet meer en zou hem ook verder niet meer gebruiken. Over de computerspelletjes, waarvan ik de programma's moeizaam van een listing overgetypt en vervolgens op een geluidscassette opgeslagen had, pc-steentijd, vertelde ik haar maar liever niets omdat ik wist dat ze dat maar tijdverspilling vond. Misschien heb ik haar verteld dat ik die maandag, zo-als bijna elke maandag, in de doka van de school was geweest en foto's ontwikkeld had, dat wil zeggen dat ik foto's had af-gedrukt, in zwart-wit en grijs op grijs, want hoe dat met dat diafragma en de juiste belichting zat, had ik nog niet begre-pen. Misschien liet ik haar ook een van mijn anti-foto's zien, breuklijnen in het asfalt van de weg, een opgedroogde plas, een schilderij van klei, een wateroppervlak, bijna altijd waren het close-ups, maar mijn moeder heb ik niet aangekeken. Ik zag niet of wilde niet zien hoe slecht het met haar ging, ik begreep ook niet dat het ons afscheidsbezoek was, of wilde het niet begrijpen. Ik was op mijn twaalfde, bijna dertiende, nog nooit op het idee gekomen dat ze werkelijk zou kunnen sterven – hoewel ik in theorie, maar wel alleen in theorie, wist dat ze haar ziekte niet zou overleven.

Nu ligt ze hier, althans 's nachts. Echt dood is ze nooit geweest. Moeders blijven nu eenmaal, altijd.

183

Nog in het jaar van haar dood, na een chemotherapie, toen ze dacht dat ze de ziekte overwonnen had, begon mijn moeder het huis te verbouwen. Op de begane grond liet ze eerst de muur tussen eetkamer en keuken weghalen, vervolgens werd van muziek- en woonkamer één ruimte gemaakt, en tot slot liet ze aan de tuinkant grotere ramen plaatsen, de muurtjes onder de vensterbank werden afgebroken en er werden tot aan de grond doorlopende panoramaramen ingezet. Ik vond het leuk hoe de bouwvakkers met pneumatische hamers en voorhamers tekeergingen. Ons huis moest weidser, ruimer, opener worden, mijn moeder wilde geen deuren meer, alles werd witgeschilderd. Als de bouwvakkers kwamen, stond zij op.

184

Op de dag dat ze overleed, het was een maandag, kwam ik uit school naar huis en wilde haar iets vertellen. Opeens had ik iets te vertellen wat zij per se moest weten. Ik draaide haar nummer in het ziekenhuis, het nummer dat ik vanbuiten kende omdat ik het de afgelopen weken vaak genoeg op de kiesschijf van ons toestel had gedraaid, ik hoorde de kiestoon en toen een mij onbekende stem die zei dat mijn moeder naar een andere kamer was overgeplaatst. Dat was in elk geval wat ik te horen kreeg.

De schapenvacht heeft mijn vader weer mee terugge-
bracht. Later lag die, ik weet eigenlijk niet waarom, in mijn
kamer op de vloer, soms ook op mijn bed.

Voor de kinderwagen, de dochterkinderwagen, kwam er
later een lamsvel.

185

De visite, vandaag is het een grote visite, het moet een maandag zijn, komt kort na zevenen mijn kamer binnen, de artsen
maken me wakker, ze hebben drie studentes meegebracht.
Ik wrijf me de slaap uit de ogen en kijk naar de schoenen
die onder de witte broeken en jassen te zien zijn, een stukje
privéleven: twee van de studentes dragen gymschoenen, de
derde, een blondine, heeft roze ballerina's aan, de afdelingsarts draagt schoenen met leren zolen, misschien zelfs met de
hand genaaid, een andere arts, een vrouw, loopt op Birken-
stocksandalen, de chef-arts, ik kan mijn ogen niet geloven,
draagt witleren instappers. Ik kan mijn ogen niet van die
witte instappers losmaken. Hallo, bent u Rolf Eden? Ben ik
geopereerd door een man met zulke schoenen?

Later, ik haal het weer tot bij de weegschaal, kijk ik naar
wat mijn medepatiënten zoal aanhebben: sloffen, teenslip-
pers, pantoffels, massief rubberen schoenen met luchtgaatjes
en joggingschoenen. Alleen gebreide wollen pantoffels zie ik
niet.

Een maand of twee, drie voordat mijn moeder stierf, heeft haar beste vriendin zichzelf en haar zevenjarig zoontje van het leven beroofd. De vrouw noemde zichzelf Ruth, hoewel haar ouders nog in het Groot-Duitse jaar 1942 de naam Gertrude voor haar hadden uitgekozen. Het huis waarin ze woonde, enigszins protserige nieuwbouw op het perceel van een oudere villa, stond bij ons in de buurt, een betonnen omheining vormde de scheiding tussen de voortuin en de stoep. Ze reed haar rode Renault 4 de garage in, liet de motor draaien, sloot de deur van de garage naar het huis en sloot ook de garagedeur, de tank was vol. De motor zou nog gelopen hebben toen ze werden gevonden – maar waarschijnlijk klopt dat niet, op een gegeven moment krijgt ook de motor te weinig zuurstof voor de verbranding, stikt de motor ten slotte zelf. Haar zoon Aaron Benjamin, één Joodse voornaam was voor haar als wiedergutmachung kennelijk niet genoeg, zat met de veiligheidsgordel om in zijn kinderzitje op de achterbank.

In een andere R4 waren mijn moeder en zij een keer helemaal naar Kaboel gereden, dat moet in 1975 of 1976 zijn geweest, ik bleef in die tijd bij mijn oma. En die vrouw, een arts met een eigen praktijk, kon niets beters verzinnen dan zichzelf en haar kind van kant te maken? Op die manier? Uit politieke wanhoop, stond er in haar afscheidsbrief, ze was bang dat de nazi's weer aan de macht zouden komen, dat de Amerikanen een nucleaire oorlog zouden beginnen, kerncentrales de aarde radioactief zouden besmetten, vanwege het afsterven van de bossen, de vernietiging van het milieu enzovoort, ze zag geen toekomst meer, pathetisch gebazel.

Ze had bij haar zoontje een slaappil door het eten ge-

mengd, had hem in de auto gezet en was met hem rondgereden tot hij in slaap viel, had toen zelf slaappillen genomen
en daarbij genoeg gedronken en was ten slotte de dubbele garage met walmdak in gereden, waar de twee surfplanken van
haar man onder het plafond hingen. De garagedeur deed ze
met de afstandsbediening op slot, ze schoof een oude matras
voor de luchtspleten, draaide de raampjes omlaag en liet de
motor lopen.

Of werd al dat lijden aan politieke en ecologische uit-
zichtloosheid als excuus gebruikt omdat het er eigenlijk alleen maar om ging dat haar man al een hele tijd een vriendin
had en bij haar weg wilde? In elk geval weet ik sindsdien
waarom er in nieuwbouwgarages van die gele bordjes hangen: MOTOR UITSCHAKELEN, GEVAAR VOOR VERSTIKKING!

187

Slaapmiddelen worden in het ziekenhuis graag gegeven en
graag ingenomen, welterusten. Ik laat me elke avond een
slaappil geven, maar in plaats van die in te nemen, leg ik hem
bij de andere in de la van mijn nachtkastje. Wat natuurlijk
streng verboden is.

188

Een keer word ik 's nachts wakker en ben opeens gelukkig.
Ik ben zelf verbaasd hoe gelukkig ik ben. Plotseling weet ik
het weer: er is nog zoveel daar buiten. Er is het kind dat me
nog een paar jaar nodig heeft, er is zoveel te zien, te doen, te
lezen, er is zoveel te leven. Ligt niet alles daar te wachten om

gedaan, gemaakt, veroverd, volbracht te worden? Een paar uur later, de volgende ochtend na het ontbijt, is het gelukzalige gevoel vervlogen. 's Ochtends is het het ergst. Het infuus waaraan ik hang, druppelt. Ik hoor het niet, ik zie het alleen maar druppelen. De standaard waaraan de fles hangt, heet galg.

189

En dan haal ik het toch weer niet van mijn bed naar de badkamer, kleine terugslagen. De verpleegkundige, de vriendelijkste en tevens knapste, wast mijn rug, ze wast hem met een warm washandje, dompelt het meermaals in de schaal met water waarin ze een scheutje waslotion heeft gedaan, ik zal een hele tijd niet kunnen douchen. Niet alleen omdat ik het niet haal tot in de badkamer, maar ook vanwege die koorden op mijn buik, de naden van het reusachtige litteken, en er hangen doorzichtige plastic slangetjes uit mijn buik.

190

Geeft niet, vroeger heb ik ook wel eens langer niet gedoucht. Mijn woning in Berlijn-Schöneberg had geen badkamer, maar wel, en zelfs dat was niet voor alle huizen vanzelfsprekend, een toilet. Om me te wassen ging ik naast het aanrecht in een plastic badje staan en waste me met een washandje, daarna borg ik het badje op in de voorraadkast. In het begin ging ik twee keer per week naar het zwembad, maar dat werd steeds minder, ten slotte ging ik helemaal niet meer omdat ik me ergerde aan al die oudjes die nietsontziend of blind of allebei het veel te warme water doorploegden. Of misschien was ik ook gewoon te lui om 's ochtends vroeg op te staan, naar het zwembad te gaan, vervolgens terug naar huis en meteen daarna naar de universiteit. Het alternatief, vanuit het zwembad rechtstreeks naar de universiteit, viel af – ik had geen zin de hele dag een tas met natte zwemspullen door de stad met me mee te slepen. Als iemand me vroeg hoe ik het zonder badkamer, douche of badkuip in mijn woning uithield – vragen die vaak werden gesteld door West-Duitse bezoekers, die zich, even verwend als ikzelf vroeger, een leven zonder badkamer en centrale verwarming helemaal niet konden voorstellen –, vertelde ik over zwembadbezoeken, hoewel die helemaal niet meer plaatsvonden.

Zo nu en dan douchte ik ergens anders, ik douchte 'vreemd' of ging 'vreemddouchen', zoals ik het destijds zelf noemde. Op een keer, ze kende mijn woonsituatie, nodigde een van Rebecca's vriendinnen mij uit een keertje bij haar te komen douchen. Ze woonde in een anderhalfkamerwoning in de Apostel-Paulus-Straße en had weliswaar geen centrale verwarming, maar wel een douchecabine in de keuken. We zaten lang in die keuken, er stonden koekjes en druiven op tafel, ik weet niet meer waarover we het hadden, over de moeilijke Rebecca-geschiedenis waarschijnlijk niet. Op zeker moment, het was al bijna avond, stond ze op en vroeg of ik nu wilde douchen, en ze zei: Ik ga naar de slaapkamer, wat een beetje klonk als 'ik ga dan maar vast naar de slaapkamer', maar misschien had ik het verkeerd verstaan. Ik kleedde me uit, ging in de douchecabine staan, draaide de kraan open en waste mijn haren met haar shampoo, groene Schauma-shampoo, die op een rekje van draadwerk stond. Toen ik de slaapkamer binnenkwam, stond de televisie aan en lag zij halfnaakt ongegeneerd languit op haar tweepersoonsmatras,

de schaal met druiven naast zich op het kussen, de wijnran-
ken vrijwel alleen nog maar geraamtes van ranken met overal
waar er een druif vanaf getrokken was minuscule, lichtgroene vruchtrestjes. Ze trok er nog eentje af en stak hem in haar
mond op een manier die me deed denken aan scènes uit oudere Duitse, op commerciële televisiezenders graag herhaalde
erotische films. Ik wilde lachen, maar merkte toen dat ze het
serieus bedoelde.

191

Fris gewassen en in een schoon vleugelhemd denk ik er toch
weer over uit het raam te springen. Het gaat zo lekker diep
omlaag, het raam kan wijd genoeg open, ik zou alleen over
de balustrade hoeven te klimmen – morgenochtend geen
temperatuur meer opnemen, en ook al het andere bleef me
bespaard.

Ineens moet ik aan het verhaal van Margits moeder denken, Margit vertelde het vrijwel direct, we kenden elkaar
nauwelijks langer dan een halfuur. Op een dag had haar
moeder haar vader rond een uur of halfzes naar de winkel
gestuurd, hij moest nog snel brood en beleg halen, Margit
zelf woonde toen al jaren niet meer in Wenen bij haar ouders. Toen haar vader met de levensmiddelen terugkwam, lag
haar moeder dood op de stoep, ze was uit het raam van de
vierde verdieping gesprongen. Margit zei dat haar moeder
haar vader alleen naar de winkel had gestuurd zodat hij na
haar zelfmoord iets te eten in huis zou hebben. Zo zorgzaam
was ze geweest, zelfs over haar dood heen.

Vandaag kan ik Margits moeder goed begrijpen. Er is
niets wat me bevalt, alles werkt op mijn zenuwen. Waarom

lig ik hier eigenlijk? Alsjeblieft geen nieuwe start meer, alsjeblieft niet verder. Ik heb er genoeg van.

192

Terwijl ik toch zo dankbaar zou moeten zijn, oneindig dankbaar, dankbaarder dan dankbaar. Het probleem met de dankbaarheid, die ik eigenlijk zou moeten voelen: ze zou veel, veel groter moeten zijn. Maar is dat niet op zich al het probleem met heel grote geschenken? Je kunt er niet op antwoorden. Ze maken je klein. Hoe moet ik voor mijn bestaan bedanken? Deemoed, hoewel ik de Lieve Heer daar soms om vraag, hou ik nooit lang vol. Ik zou jou een bedankbrief moeten schrijven, niet aan je nabestaanden. Of kun je hem niet zelf schrijven? Ik leen je mijn hand.

Hoe zat dat ook alweer met de tirannie van de gave, waar Marcel Mauss het in zijn beroemde boek over heeft? De gever verwerft door zijn gave een magische, zelfs religieuze macht over de ontvanger. Ben ik dan nu van jou?

Later heeft Jacques Derrida de gave opnieuw gedefinieerd. Alleen een gave zonder tegengave zou een echte gave zijn. Daarom is een orgaandonatie de perfecte gave, want een tegengave is onmogelijk.

Altijd als ik aan Jacques Derrida denk omdat iemand hem citeert of ook alleen maar noemt, zie ik weer voor me hoe wij twee, Jacques Derrida en ik, een keer naast elkaar hebben staan plassen. Dat was in de toiletten van de EHESS, de École des Hautes Études en Sciences Sociales, in de boulevard Raspail, vlak voor zijn college dat ik toentertijd, begin jaren negentig, in Parijs elke week bezocht, de zaal een soort bedevaartsoord voor studenten uit de hele wereld. Hij stond er al toen ik de toiletruimte binnenkwam, ik groette en ging naast hem staan omdat er maar twee pissoirs waren, en ik deed erg mijn best niet de indruk te wekken naar zijn pik te kijken. Ik hield van zijn colleges, maar op een keer, herinner ik me, werd hij nogal boos omdat hij het gegiechel in de zaal niet kon verklaren toen hij, het Duitse woord gebruikend, het over het *spucken*, het spugen, van het Duitse idealisme had. Nadat hij voor de derde of vierde keer 'Hegel spuckt' had gezegd, wees iemand hem erop dat hij beter *spuken*, rondspoken, kon zeggen. Nu spookt hij hier bij mij rond.

193

En dan wordt toch weer mijn temperatuur opgenomen. Weer een nieuwe dag in het ziekenhuis, weer een dag in mijn leven, het moeten er al bijna meer dan dertienduizend zijn.

Hebben we al de temperatuur opgenomen? Nee, natuurlijk niet, ik slaap nog. Elke ochtend hetzelfde liedje, en dan is het al weer avond en komt de verpleegkundige met de medicijnen voor de volgende dag, verdeelt de plastic houdertjes met vier vakjes, 's ochtends, 's middags, 's avonds, 's nachts, zet er een op elk nachtkastje. Op het doorzichtige schuifje, waardoor ik de pillen zie, staat mijn naam, zo vergeet ik niet hoe ik heet.

Zou je in die lege houdertjes niet heel goed waterverf kunnen mengen? Misschien ga ik binnenkort wel schilderen, kliniekaquarellen en ansichtkaarten van het ziekenhuis: de muur, de boom, de televisie, de kast en de schaduw van het bed op de grond, de zon tekent vaak heel mooie patronen. Ja, ineens heb ik zin de kronen van de bomen voor mijn raam te schilderen. Mijn oude kennissen, mijn vrienden, ik ben elke dag weer blij ze te zien. Zo groen, zo vol, zo dicht. Ze te schilderen, het liefst blad voor blad, en ik zou heel wat te doen hebben.

Zou therapeutisch aquarelleren niet kunnen helpen? Geen wonder dat er in revalidatieklinieken cursussen worden aangeboden in mandenvlechten, pottenbakken, speksteen snijden en aquarellen maken – een mooie wolk, de boomkronen en nog een mooie wolk schilderen, precies die daarboven, daar aan de hemel, die zo verloren boven de helikopterlandingsplaats hangt.

194

Mijn moeder heeft tijdens haar ziekte geschilderd, misschien hoorde dat bij de therapie in de antroposofische kliniek. Ze heeft meerdere schildercursussen bezocht, werken met pastelkrijt, met olieverf en met waterverf, bovendien kon ze vrij aardig tekenen en wist ze wat op mij als kind indruk maakte, waar gearceerd moest worden om licht en schaduw te verdelen. Als ze een appel tekende, zag het er echt uit als een appel, ze kon zelfs paarden tekenen die er werkelijk als paarden uitzagen. Mijn paarden zagen en zien er nog altijd uit als varkens, als varkens met lange poten.

Toch, dat vind ik nu tenminste, waren ook de schilderijen van mijn moeder vreselijk: meeuwen die op hekpalen zaten. Zonsondergangen boven een pastelkrijtzee. Ze liet ze voor veel geld in een speciaalzaak inlijsten en hing ze in het trappenhuis. Toen ze dood was, haalden we ze weer van de muur en brachten ze naar de kelder. Mijn vader, sentimenteel was hij niet, heeft ze later weggegooid.

Ik herinner me nog de gezichtsuitdrukking van een van

haar meeuwen, ik meen dat ze die op Sylt had geschilderd.
Was ze daar ook in een kliniek? Ik weet het niet meer. De
meeuw, die op een paal zat en over de zee uitkeek, leek op
mijn oma. Mijn moeder, dacht ik, had haar eigen moeder –
komt een vogel gevlogen – als meeuw geschilderd.

195

En tijd wordt hier ruimte. Zing jij nu *Parsifal*? Ben jij dat?
Ja, tijd wordt hier ruimte, hij is deze ruimte. En alles, maakt
niet uit hoe lang geleden en hoe ver weg, is opeens weer heel
dichtbij, binnen handbereik, ik hoef het alleen maar te pakken.

196

Ik bestudeer de ziekenhuisvloer met zijn vriendelijke kleur,
het rookgrijs-blauw-gemêleerde linoleum. Zou de abstracte
kunst in het ziekenhuis zijn uitgevonden? Waar iemand genoeg tijd had om heel lang naar iets te staren? Net zo lang tot
het elke lichamelijkheid verloor en alleen nog kleur was en
de kleur zelf lichaam werd? Ik ben verbaasd wat ik niet allemaal in de slierten van deze vloer en op de witte muur kan
zien. Ik hoef maar een uur of twee, drie naar dezelfde plek te
staren, en elke gedachte en elke herinnering wordt plastisch,
laat zich van alle kanten bekijken, draaien en keren, soms
loop ik er zelfs omheen.

Alexandra, van wie de vader een zorgspeciaalzaak had, is in
Turkije verdronken, in het zwembad van een hotel, hoewel
ze goed kon zwemmen. Haar man stond aan de rand van
het bad en merkte niets. Ze waren met hun twee kinderen
op vakantie, het jongste, een meisje, nog maar elf maanden
oud. Alexandra kon, ik hoor het nog, zo leuk lachen. Ik hoor
het nu.

198

Van een arts met ongelofelijke amandelogen, ze is net de kamer uit, is de geur hier blijven hangen. Gebruikt ze parfum?
Vrouwelijke artsen ruiken anders toch niet zo. Ik snuffel aan
mijn vingers en probeer te achterhalen wat voor geur het
was, ze heeft me toch een hand gegeven, maar ik ruik alleen
lifosan, de waslotion uit de sifonfles in de badkamer, die ik
zo graag gebruik. Ik was vaak mijn handen, waarschijnlijk
veel te vaak, en gebruik ook de desinfecterende vloeistof, er
hangt een dispenser in de badkamer naast de wastafel, een
andere buiten op de gang, meteen naast de deur naar onze
kamer. Altijd als ik erlangs kom, druk ik er met mijn elleboog op, laat de alcohol in mijn geopende andere hand lopen en wrijf de vloeistof uit, zoals ik het op de afbeeldingen
heb gezien. Zeven- of achtmaal per dag ontsmet ik zo mijn
handen, de vingers van zowel mijn linker- als van mijn rechterhand ruiken naar sterilium, naar sterilium en lifosan, mijn
beide ziekenhuisparfums.

Wie rook hoe? Julia rook naar Rive Gauche van Yves Saint Laurent, soms had ze ook Chanel N° 19 of N° 5. Een meisje uit mijn klas, maar dat is al lang geleden, rook naar patchoeli. En ik moet aan Susanne denken, die naar L'Eau d'Issey rook, destijds, toen ze een-, tweemaal in de week 's ochtends bij me aanbelde en voor de voordeur op me wachtte. Dan gingen we, ik te voet naast haar op de fiets, naar het sportterrein, rennen, tien rondjes, soms twaalf, zonder veel te zeggen, zij binnen, ik buiten. Na zeven of acht rondjes vielen we uiteen, zij werd sneller, zette haar koptelefoon op en rende ervandoor. Pas later, als we bezweet teruggingen, raakten we aan de praat. Zij vertelde wat haar zoontje, destijds drie, later vier jaar, nu weer had uitgehaald of hoe vreemd haar man, al snel haar ex-man, zich weer had gedragen. Of dat ze in een soort voortzetting van haar ochtendtraining aansluitend van de Zionskirchplatz helemaal naar Charlottenburg zou fietsen om haar therapeut te bezoeken, hoewel hij haar dan toch alleen maar adviseerde om veel te bewegen en haar visoliecapsules voorschreef, die haar elke twee maanden honderdveertig euro kostten. Zijn dat niet heel dure placebo's? vroeg ik haar een keer, waarop ze zei: Maar ze helpen toch? Als ze goedkoper waren, zouden ze dat niet doen.

Op het kruispunt waar de Muur, toen hij daar nog stond, een knik maakte in het huidige Mauerpark, kusten we elkaar ten afscheid, maar we hadden het nooit, absurd eigenlijk, over onze relatie van een paar jaar daarvoor, toen we enkele maanden hadden samengewoond en telkens weer met elkaar naar bed waren gegaan, terwijl zij eigenlijk al met de latere vader van haar kind samen was. Haar L'Eau d'Issey stond op het plankje boven de wastafel in de badkamer.

Ik ruik regen door het open raam. Water alleen ruikt nooit zo. Ik ruik regen en hoor een merel zingen. Een tweede merel antwoordt, ze zingen over en weer.

Iemand heeft me ooit verteld dat mieren met behulp van een geurstof voorkomen door andere mieren als dood te worden beschouwd. Mieren hebben een levensgeur bij zich, die al snel na hun dood vervluchtigt. Een dier dat niet meer naar leven ruikt, wordt door daarin gespecialiseerde transport-mieren de mierenhoop uit gedragen, de geurpolitie van de mieren is alert en streng. Necroforese heet dit hygiënische gedrag om dode lichamen te verwijderen voordat het ver-rottingsproces begint; necroforese wordt door verscheidene staten vormende insecten in praktijk gebracht. Dode mieren, ook dat heb ik onthouden, ruiken een uur na hun dood al niet meer naar leven.

Ruik ik dan nog naar leven? Of ben ik toch misschien al dood? Zouden de verpleegkundigen dat niet moeten ruiken? De arts met de amandelogen? En mijn buurman? Of ruik ik nu misschien naar jou?

Mijzelf kan ik niet ruiken, het kind zegt vaak: Je stinkt.

Ik ruik rozen hier in de ziekenkamer, maar er staan hier al-lang geen bloemen meer, bloemen brengen te veel kiemen met zich mee. Ik ruik vijgen, lavendel, seringen, vlierbessen en lindebloesem – lindebloesem in juni zou ik nog een keer willen ruiken, nat strand, Rebecca's nachthemd, een warme rots, droog mos, bosgrond, lievevrouwebedstro, Julia's haar en rozen, rozen. Begrafenissen ruiken toch ook naar rozen, zo werkt mijn phantosmie.

203

De geur van het eten op de gang. De dienbladen wachten in de verwarmde bakken van de thermokar, driemaal daags komt er eten, een verpleegkundige brengt het in de kamer. Hij zet het op het uitklapblad van het nachtkastje. Een kunststofstolp met een rond gat in het midden bedekt de menuschaal en houdt de maaltijd warm, op het soepbakje zit een rubberdekseltje, vandaag, ik kijk erin, alweer gezeefde groentesoep, geen bouillon.

Voordat ik de stolp van de hoofdmaaltijd optil, stel ik me voor dat er iets heel anders ligt, een grote verrassing. Een bloem. Een boek. Een afgesneden vinger, een nieuw hart.

En dan? Er ligt een vierkant stuk groentelasagne op het bord, dat aparte vakjes voor de bijgerechten heeft, een stuk spinazieblad steekt tussen de zachtgekookte deegbladen uit. Het ziet er niet bepaald smakelijk uit, de spinazie doet aan algen denken, en ik droom ineens van al de maaltijden die ik ooit heb gegeten, van de maanzaadnoedels, de abrikozenknoedels en de broodpudding van door mijzelf in de boomgaard geplukte vroegrijpe appels, de hacheeknoedels, de koolsoep met stukjes ham en alle andere gerechten van mijn oma in Oostenrijk.

Hebt u de maaltijdkaart ingevuld? onderbreekt de ver-

pleegkundige mijn dagdroom. Elke dag dezelfde vraag. Ja,
heb ik. Natuurlijk. Ik heb gekozen tussen boter en marga-
rine, tussen honing en jam, heb de voorkeur gegeven aan
een tweede broodje boven een snee bruinbrood, daarbij fruit.
Maaltijd I, maaltijd II, dieetvoeding, meerdere varianten net
als vroeger in de mensa.

Ik zou een keer, ook een antwoord, mijn dienblad op de
grond kunnen gooien. Ik moet denken aan een middageten
in Frankrijk, jaren geleden, een uitwisseling van scholieren
bij een gastgezin, toen ik met mijn mes op het vlees uit-
schoot en de biefstuk en bijna alle frietjes met een grote boog
van mijn bord op de grond belandden. De twee kinderen
begonnen te lachen, vervolgens kropen we samen op handen
en voeten over het vloerkleed, raapten mijn eten weer op. De
hond, die slaperig onder de tafel had gelegen, was als eerste
bij het vlees.

204

De arts met de amandelogen heeft weer dienst. Ze draagt
gymschoenen van het merk Onitsuka Tiger en glinsterende
oorbelletjes, lachend geeft ze me een hand. Ze is niet bang
mij aan te raken, maar desinfecteert daarna wel haar handen.
Dat heb ik ook liever.

205

Ik ga even naar beneden, een krant halen, zegt mijn buurman en hij is de kamer al uit. Ik hoop dat hij niet komt vast
te zitten in een weinig gebruikte lift zoals die patiënt in een

ander Berlijns ziekenhuis, die pas na drie dagen werd gevonden. Toen was hij al begonnen zijn eigen urine van de grond op te likken. De man drukte op de alarmknop, timmerde op de wand van de cabine, schreeuwde, maar niemand hoorde hem. Geen mooie dood, denk ik, om in een ziekenhuislift te verdorsten.

Later vertelt mijn buurman over een man die in een ziekenhuis de weg was kwijtgeraakt en pas vijf of zes dagen later dood in een leegstaand lab werd gevonden. Zijn familie had overal op het ziekenhuisterrein al blaadjes met foto's van hem opgehangen. Hij wilde alleen even een sigaretje gaan roken. Roken, zegt mijn buurman, schaadt nu eenmaal de gezondheid.

206

Het kriebelt, alles beweegt. Wat kruipt er 's nachts als mieren bij mij naar binnen? Uit mij naar buiten? Op een keer kwamen de mieren uit de tuin in mijn kinderkamer. Ik had te veel snoeppapiertjes in een la van de commode laten liggen.

207

De studente geneeskunde die vandaag met de visite meeloopt, heeft haar blonde haar van achteren losjes samengebonden, kleine rode driehoekjes van hout bungelen aan haar oorlelletjes, ze glimlacht en lacht om haar lichte onzekerheid te verbergen. Ik vind haar leuk, net zoals ik een klasgenote van me, Daniela, leuk vond, die in de vierde een tijdlang naast me zat, ze was blijven zitten, of nee, niet blijven zitten

– ze was halverwege het schooljaar naar onze klas teruggeplaatst, een maatregel waarmee betrokken ouders hun kind de vernedering van het zittenblijven konden besparen, ook al kwam het uiteindelijk op hetzelfde neer. Halverwege het schooljaar kwam ze in onze klas en zat bij Frans, woensdags en vrijdags het zevende uur, naast mij. En omdat ik me verveelde, begon ik haar briefjes te schrijven, korte berichtjes, allemaal onzin, en hoewel Frans me in die tijd helemaal niet interesseerde, kreeg ik haar zover mij bijles te geven. Niet dat ik bijles nodig had, maar op basis van een onuitgesproken overeenkomst deden we alsof ik bijles kreeg, ik speelde de leerling en zij, één jaar ouder dan ik, de lerares, na de middag bij haar thuis. Ik ging met de fiets ernaartoe, ze ontving me bij de voordeur en nodigde me uit voor de les aan een grote, zware eikenhouten tafel in de donkere eetkamer plaats te nemen. De eerste keer duurde de bijles de gebruikelijke vijfenveertig minuten, de tweede keer nog geen halfuur. Later lagen we in haar kamer op de vaste vloerbedekking – naar muziek zullen we wel niet veel geluisterd hebben, ze had niet meer dan vier of vijf platen, maar dat maakte mij, met mijn hand in haar onderbroek, niets uit. Ik nam cassettebandjes voor haar op, mixtapes met nummers van Joy Division, The Smiths, The Fall en The Stranglers, waar zij vervolgens, naar ik vermoedde, nooit naar luisterde. Ze was altijd op een merkwaardige manier opgewonden, altijd had ze een geagiteerde blos op haar wangen, alsof ze elk moment bedacht was op haar vader, die ik nooit heb ontmoet. Na de vierde ging ze naar een andere school, en ik verloor haar uit het oog. Ik weet niet waar ze tegenwoordig woont.

Voor het eerst sinds ik in deze kamer lig, valt mijn oog op de twee afbeeldingen aan de muur tegenover mij, ik moet mijzelf prijzen: wekenlang hier liggen en die reproducties van Marc Chagall niet eens opmerken, ook een prestatie. Nu zie ik een bos bloemen, zie elkaar omhelzende paren. Ik hou niet van Chagall, onnozele kitsch met violen, maar terwijl ik dat denk, stel ik vast dat de afbeeldingen me niet storen. De kleuren herinneren me aan de muren in de röntgenkamers en aan de bezoekersschorten op de intensive care, bleekblauw en urinegeel. Bleekblauw en urinegeel zijn, vind ik ondertussen, mooie kleuren.

209

Op de kinderafdelingen waar ik gelegen heb, hingen overal, naar ik destijds vond, afschuwelijke kindertekeningen, gekriebel, gekrabbel. Dertien-, veertienjarigen vinden daar niet veel aan, niet meer en nog niet. Pas de krabbeltekeningen van je eigen kinderen zijn weer belangrijk – ik bewaar ze allemaal.

210

Op een dag, nog in Bonn, ik lag in de kinderkliniek aan de Adenauerallee, direct naast het ministerie van Buitenlandse Zaken, kreeg ik bezoek van een meisje dat aan de andere kant van de Rijn woonde. We hadden elkaar op een camping leren kennen en twee of drie keer geschreven, ik wist niet hoe of van wie ze te horen had gekregen dat ik in het ziekenhuis lag, ik schaamde me voor de kinderkliniek, ik was tenslotte al zestien. Het raam van de kamer, ik had een kamer voor mij alleen, keek uit op de Rijn, op de andere oever en een eindje stroomopwaarts verhief zich het Zevengebergte. Ze vertelde dat ze met de trein van Königswinter was gekomen, en natuurlijk kende ze, ik vroeg haar daarnaar, de parkeerplaats vanwaaruit de RAF het Amerikaanse consulaat op de tegenovergelegen linkeroever onder vuur had genomen, dat was toen nog niet lang geleden. Ze zat vlak naast mijn bed en hield mijn hand vast. Ze had heel blauwe ogen, onwaarschijnlijk blauwe ogen, zo blauw heb ik ze later nooit meer gezien.

211

Ik blader in een oud notitieboekje dat in een zijvak van mijn bruine weekendtas zat, waar ik het blijkbaar vergeten was. Ik lees, in het ziekenhuis liggend, aantekeningen over het ziekenhuis, die aantekeningen heb ik vermoedelijk zelf gemaakt, het handschrift lijkt op het mijne. Telkens opnieuw lees ik het woord 'ziekenhuis', eigenlijk wil ik het woord 'ziekenhuis' nooit meer horen, schrijven of lezen, ik wil het zelfs niet denken – maar omdat ik al weet dat ik het woord 'ziekenhuis' nog heel vaak zal moeten horen en zeggen, probeer ik mezelf af te stompen, zachtjes zeg ik: ziekenhuis, ziekenhuis, ziekenhuis, ik probeer mezelf immuun te maken, ziekenhuis, ziekenhuis, ziekenhuis, ik herhaal dat woord zo vaak tot het helemaal niets meer betekent, ziekenhuis, ach ziekenhuis. 'Kliniek' of 'hospitaal' klinkt ook niet veel beter.

In het ziekenhuis, aldus mijn buurman en kamerkameraad, hij heeft me horen mompelen, zijn we ertoe gedoemd te liggen en te wachten tot het beter gaat. Of echt ziek te worden. Daarom heet het volgens hem ook ziekenhuis.

212

Ik kijk uit het raam, zie het kanaal en denk weer eens dat ik graag zou opstaan, me aankleden en met de lift naar beneden gaan, ik zou graag door de uitgang aan de zuidzijde naar het kanaal en langs het kanaal richting Lehrterstation lopen. Maar het Lehrterstation bestaat helemaal niet meer, het station dat er nu staat, wordt Centraal Station genoemd.

Een van de oudere verpleegkundigen heeft me verteld dat dit terrein hier vroeger een zandvlakte was waarop geen enkele boom stond, een exercitie- en artillerieoefenterrein, een kleine woestenij, maar toen was er een tuinstad voor zieken op gebouwd door Ludwig Hoffmann naar een idee van Rudolf Virchow – een ziekenstad! had de keizer bij de inwijding in 1906 geroepen. De oude paviljoens van die ziekenstad zijn op drie na – in een daarvan bevindt zich nu de polikliniek voor kinderen met kanker – allemaal afgebroken, tegenwoordig staan er hoge gebouwen langs de Mittelallee. In een van die gebouwen lig ik.

213

Elk kwartier komt mijn nieuwe buurman uit bed, veegt denkbeeldige kruimels van de deken, trekt het laken strak en sloft naar de kast, opent de deur en woelt in de zakken die in zijn vak staan, neemt een slok uit een pak vruchtensap of pakt een appel. Hij heeft een grote zak met kleine, ver-schrompelde appels meegebracht.

Hij vertelt dat hij in Siberië een eigen tuin heeft gehad, hij is pas vier jaar in Duitsland en ligt telkens weer in het ziekenhuis, elke maand wel een keer. Vroeger was hij met een vrachtwagen door Siberië gereden en had stammen naar de houtzagerij en planken van de zagerij naar bouwplaatsen vervoerd, door de taiga, soms bij veertig graden onder nul. Bij veertig graden onder nul gaat niet veel meer, dan functi-oneren verbrandingsmotoren niet meer. En wodka, hij had bij zulke temperaturen alleen nog maar met wodka kunnen rijden, verwarmt ook niet meer zo goed. Na bijna veertig wodkawinters is de lever nu eenmaal kapot.

Dus daarom is hij hier. Zijn buik is opgezet, en als hij met veel moeite uit bed komt, sjouwt hij twintig liter water met zich mee, om de vier weken worden die in het ziekenhuis afgetapt. En daarna loopt hij weer vol.

214

Ik heb ooit een aardrijkskundeleraar gehad die met Siberië dweepte. Met de uitgestrektheid, de kou en de grootte, hij dweepte ook met de grote projecten van de Sovjet-Unie, de omleiding van de Siberische stromen voor het bewateren van de steppen in het zuiden en met de nieuwe steden in het ijs. Oud genoeg om er als krijgsgevangene zelf geweest te zijn was hij niet, dan was zijn Siberië-euforie vast niet zo groot geweest. Misschien had hij een aardrijkskundige studiereis met de Transsiberië Express gemaakt. Of droomde hij daar-van. Ik weet nog dat die leraar, meneer Gelhar, onze tweede of derde klas aanraadde om ons, als het dan toch moest, met

wodka te bezatten en niet met zoete, kleurige likeurtjes. Liever geen Baileys, geen Blue Curaçao, maar wodka, zei hij,
die zorgde voor de zuiverste en helderste roes en je had er de
volgende ochtend minder, meestal zelfs geen hoofdpijn van.
Hij leek te weten waar hij het over had.

215

Ja, een mens maakt wat mee, zegt mijn buurman en onderbreekt daarvoor even zijn gekreun. Hij sleept zich richting
kast en pakt weer een appel uit zijn zak, een geel, wormstekig
appeltje. Die appels, dat heeft hij me al verteld, vindt hij op
een onbebouwd perceel ergens in het oosten, niemand wil
ze hebben, en hij raapt ze op. Hij gaat weer op bed zitten,
verdeelt de appel met zijn zakmes in vier partjes, snijdt het
klokhuis eruit, schilt de partjes en steekt ze aan de punt van
zijn mes, de punt is verroest, in zijn mond. Als hij het laatste
partje gegeten heeft, staat hij weer op, loopt naar de kast,
zoekt in drie van zijn zeven zakken en vindt ten slotte het
doosje waar zijn elektrische scheerapparaat in zit, ik had hem
ook zo kunnen zeggen dat het scheerapparaat in de Kaufhof-
zak zit, hij heeft het al drie keer uit- en ingepakt. Nauwelijks
heeft hij een paar stoppels op zijn gezicht geschoren, of hij
legt het apparaat terug in de beschadigde originele verpak-
king, maar dan lig ik allang niet meer in deze kamer, ik lig
op het grasveld van zijn Siberische tuin, waarvan hij zo hoog
opgeeft. Pruimen vallen me in de mond, rijpe, rode appels
in het gras, nazomerbloemen, bloemen zoals ik nog nooit
heb gezien, bloeien in vroege herfstkleuren, en een paar vrij-
moedige haasjes zitten om me heen. Ze huppen pas weg als
ik hem weer hoor kreunen, steunend en kreunend vertelt

hij me over zijn Wolga-Duitse lot. Aan de Wolga geboren was hij later als klein kind naar Siberië gedeporteerd, Stalin bedankt, de eerste winters waren bar en boos geweest, hij was opgegroeid in een gat in de grond, omringd door stapels lijken, een mens maakt wat mee, zegt hij voor de tweede, misschien ook al voor de derde of vierde keer en voegt eraan toe: En je moet blijven hopen, want zonder hoop is alles afgelopen.

216

Op de basisschool hadden we twee kinderen van late Duitstalige immigranten uit Oost-Europa in de klas. Ze heetten Gertraute en Elisabeth, namen die ik tussen al die Heikes en Tanja's maar raar vond, niet geschikt voor meisjes van mijn leeftijd, namen die bij strenge verzorgsters in weeshuizen pasten, dacht ik, maar niet in onze klas. Ik herinner me niet dat ik gedurende mijn jaren op de basisschool ook maar één keer met hen gepraat heb, ik geloof dat niemand met hen gepraat heeft, en zelf hebben ze ook nooit iets gezegd. De knapste, die Elisabeth heette, droeg haar lange blonde haar altijd in twee vlechten en had wekenlang dezelfde jurk aan, daaronder altijd dezelfde wollen maillot. Ik heb destijds niet gezien hoe knap ze was, want ze zag eruit alsof ze van een andere planeet kwam.

217

Op een nacht, mijn bed heeft tenslotte wielen, rij ik over dichtgevroren Siberische rivieren naar het zuiden, ik rij over modderpistes, blijf in sneeuwverstuivingen steken en kom in een verkeerscontrole terecht, maar weet dat politieagenten in Siberië slechts een fles wodka kosten, ik rij door de taiga tot mijn motor kreunt en steeds luider kreunt, ik word wakker. Mijn buurman kreunt alsof hij zijn eigen beademingstoestel is, zijn adem reutelt, hij rochelt, snuift even, snakt naar lucht, voordat hij mooi gelijkmatig verder kreunt.

De volgende ochtend zegt hij dat hij in zijn dertiende пятилетка is. Pjatiletka is, dat moet hij me uitleggen, het Russische woord voor vijfjarenplan. En ik vermenigvuldig tien met vijf en drie met vijf en tel de subtotalen bij elkaar op, waarvoor ik, het ziekenhuis heeft me langzaam gemaakt, bijna twee minuten nodig heb. Eigenlijk ziet hij er ouder uit. Hij schijnt te merken dat ik zoiets denk en zegt: Tijd gaat snel bij ons in Rusland.

218

Elke nacht komt de nachtzuster binnen, controleert de kamers, kijkt naar het infuus, gaat na of we braaf in ons bed liggen en onze medicijnen hebben ingenomen. Ze vraagt of we misschien een slaapmiddel nodig hebben. Kamercontrole zoals op een kostschool.

219

Op een keer, ik zat zelf nog op school, heb ik me bij Katja op het internaat laten insluiten om bij haar te overnachten. Kort voor het einde van de bezoektijd loodste ze me naar boven naar haar kamer, die ze met een klasgenootje deelde, ik verstopte me, voordat de rondgang van de surveillant begon, in haar kleerkast. Daar zat ik dan als de Dolle Tweeling op een jongenskostschool, of – een vergelijking die me beter bevalt – als de jonge Raymond Federman tijdens de bezetting in Parijs nadat zijn moeder hem op de gang een kast in geduwd had. Alleen stond voor mijn kast niet de Franse politie, die mijn ouders arresteerde, hen naar het Vélodrome d'Hiver bracht en door ons Duitsers naar Auschwitz liet deporteren, daar stond alleen maar een surveillant, die aan de meisjes vroeg of alles in orde was. Waar ze braaf met 'ja' op antwoordden, braaf doen kon Katja goed. Even later klopte ze op de kastdeur en kwam ik eruit, waarna haar kamergenote naar een vriendin in een andere kamer sloop. Katja's bed, dat herinner ik me nog, was smal.

Kort daarop, ze was nog niet uit het internaat weggestuurd, gingen we samen naar Engeland. De reis begon ermee dat haar moeder ons in Keulen naar het centraal station bracht, ze wilde ons in de nachttrein naar Londen zien stappen. Dat we maar kaartjes tot Aken hadden en van daaruit wilden liften, wist ze niet. Op het perron werd Katja bij het afscheid op het hart gedrukt in het buitenland niet naar smerige toiletten te gaan, smerige toiletten waren haar moeders grootste zorg, wist zij veel.

Drie jaar later, toen ze haar opleiding in een tuinbouwbedrijf had afgebroken en ook haar plan om landschapsarchitect te worden op niets was uitgelopen, besloot Katja een drugskennis te helpen bij het vanuit Spanje over de Pyreneeën smokkelen van achthonderd kilo hasj. In een camper reden ze tot aan de grens en werden gecontroleerd – het was de Franse douanebeambten opgevallen dat de wagen zo laag lag. Katja werd veroordeeld wegens medeplichtigheid en zat twee jaar in een Franse gevangenis.

Iedere verpleegkundige heeft haar eigen manier om met patiënten om te gaan. De ene valt op door een bijna overdreven vriendelijkheid, de andere legt een interessante, nog net sympathieke barsheid aan de dag, een derde is altijd streng, duidelijk, concreet en weinig persoonlijk. Weer een andere vertelt me 's nachts dat ze geen verpleegkundige wil blijven, maar liever weer op de boerderij van haar ouders zou werken, op een dag neemt ze die over. Naar de koeien in de stal zal ze dan 's nachts ook moeten gaan kijken, dus dat kan ze hier alvast oefenen. Ik wil graag, zeg ik, zolang haar oefenkoe zijn.

Na elf weken op een afdeling ontdooit zelfs de meest norse verpleegkundige, zegt mijn buurman, afgelopen jaar heeft hij hier elf weken gelegen.

221

Ziekenhuisverveling, ik hou het met jou niet meer uit, ik hou het met mijzelf niet meer uit – maar dan hou ik het toch uit. Zo erg is het helemaal niet. Het eten komt stipt om de paar uur, en af en toe komt er ook bezoek.

222

Ik herinner me de blaastests van enkele jaren geleden, 's morgens vroeg hier in de Virchowkliniek. Eens per maand, een heel jaar lang, diende ik me al voor zevenen nuchter te melden in een onderzoekkamer zonder ramen. Om zeven uur precies blies ik de eerste keer in een aluminium zakje en sloot

het af met een draaiventiel, dronk een geconcentreerde mal-
toseoplossing – het smaakte niet lekker, smaakte helemaal
niet lekker, veel te zoet, een heel glas vol – en blies vervolgens elk halfuur nog een aluminiumzakje op, steeds twee,
drie teugen ademlucht: afbraakproducten van de stofwisse-
ling, waarmee ook de levercapaciteit in de ademlucht gemeten kan worden. Het was een onderzoeksproject waarvoor B.
me gestrikt had, ik deed het graag, ik hoefde alleen maar in
die zakjes te blazen. Als ik er eentje gevuld had, zette ik de
eierwekker weer op een halfuur en ging op de onderzoektafel
liggen, las wat of viel in slaap. Tegen twee uur 's middags
blies ik in het laatste van de vijftien met uitgebreide informatie beschreven aluminium zakjes, de arts die de studie be-
geleidde droeg ze in twee grote vuilniszakken, lauwwarme
lucht is niet zwaar, naar zijn laboratorium en onderzocht dan
een paar dagen lang mijn in zakjes verpakte adem. Ik vond
het een leuke bezigheid, inademen, uitademen, jammer genoeg werd ik er niet voor betaald. Tegenwoordig heb je een
gestandaardiseerde ademlucht-leverfunctietest die nog maar
één uur duurt.

223

Een arts komt met haar doktersjas open de kamer binnen,
staat aan mijn bed, praat met de verpleegkundige en vraagt
mij iets wat ik niet begrijp. Ik begrijp het niet omdat ik, sinds
zij zich in deze ruimte bevindt, wel naar haar grote schaam-
lippen moet kijken, die zich duidelijk, overduidelijk onder
de stof van haar broek aftekenen.
    Een kostuumnaaister heeft me ooit over een actrice ver-
teld die op een dag bij haar kwam met het verzoek al haar

broeken zo te veranderen dat precies dat effect bereikt werd. De kostuumnaaister was verbaasd, maar kon haar van dienst zijn.

Met Rebecca, het moet tijdens haar laatste bezoek in Parijs zijn geweest, was ik op de jaarlijkse tentoonstelling van een kunstacademie waar we met grote ogen stonden te kijken naar setjes om afdrukken van kutten te maken. Die kutafdruksets – een ideetje van een kunstenares die er een paar honderd ter plaatse achter een klaptafel verkocht – bestonden uit een kleine tube scheerschuim, een wegwerpscheermesje, een potje vaseline, een zakje gips en de kartonnen doos waarin, halfgeopend en gevuld met aangemaakt gips, de vormgeefster haar kut moest drukken. We kochten een setje en hadden thuis natuurlijk niets beters te doen dan meteen een afdruk te maken. Haar kut in gips, dat was Rebecca's afscheidscadeau. Tot ik het, ik weet niet meer hoe of waar, kwijtraakte, was dat blokje gips met gezicht een mooie presse-papier.

224

Zeg eens wat, lief bed op wielen, praat met mij, jullie ramen, nachtkastje, alarmknop, tafel. Vertel me alles, lieve energiezuinige lamp, jij schamel licht. Praat met mij, matras van me, praat met mij, jij deken, beddengoed, zeggen jullie ook eens wat, dunne blauw-groene strepen. Zeg wat, galg, en jij ook, leeggedruppelde fles antibioticum, zeg iets, plafond, nis bij het raam, muurkast, jullie planken met de groene kartonnen dozen, met drie op elkaar gestapeld met wegwerphandschoenen in de maten s, m en x, letters die heel andere dingen lijken te beloven, zeg iets, antiseptische spray, zeg iets verbandgaas, en zeg iets, veiligheidsblik voor besmet afval, apparatenlijst met zuurstof- en persluchtaansluiting, praat met me, jij hoofdkussen, waarop dit hoofd ligt en slaapt en maalt en wanhoopt en soms ook heel euforisch wordt.

DE VERMOEIDE GIRAF

Normale constitutie bij verminderde algehele conditie met fijne tremor, psychisch geen bijzonderheden. Huid en zichtbare slijmvliezen g.b., geen foetor, geen oedeem. Hoofd/hals geen bijzonderheden, geen tekenen van infectie, geen verhoogde centraal veneuze druk. Strakke buik, geen palpabele weerstanden, litteken niet geïrriteerd bij status na transplantatie, T-drain in loco typico. Geen herniaties. Hypesthesie van het litteken.

Ik mag mijn spullen inpakken en afscheid nemen, op naar de revalidatiekliniek. Ik word opgehaald door het patiëntenvervoer, de chauffeur komt met een rolstoel de kamer binnen, pakt mijn weekendtas, en ik zeg: Tot ziens, kamer, ajuus, afdeling. En zit even later in een minibus, we rijden in noordelijke richting de stad uit, mijn plaats is links aan het raam. Ik verbaas me er zelf over hoezeer ik me verheug over elk gebouw, elk benzinestation, elk verlaten fabrieksgebouw, elke goedkope supermarkt en elke bouwmarkt, ik heb ook zo lang geen tapijthal meer gezien. Niet veel later verheug ik me over de snelweg en de vangrails en vanaf mijn enigszins verhoogde zitplaats kijk ik bij alle auto's die ons inhalen naar binnen. In elke auto zit minstens één mens.

Behalve ik zitten er nog twee andere patiënten in de bus. Ik knoop een gesprek aan met een vrouw, ze kan niet veel ouder zijn dan ik. We praten over de jaargetijden. We praten over het weer. En ik denk al opgelucht dat het goed loopt, maar dan begint ze toch over haar ziektegeschiedenis, vertelt

het als een avontuur, alsof ze wil zeggen: kijk, dat heb ik allemaal doorgemaakt, geleden en tot hiertoe doorstaan.

225

De kliniek ligt aan een groot ondiep meer, de Müritzsee. Ik lig op een groot bed in een kamer met balkon en met uitzicht op het meer, in theorie althans, want er staan hoge bomen voor. Soms sta ik op het balkon en kijk uit naar een zeeadelaar, die hier schijnt voor te komen. Maar ik zie er geen.

226

De drie- of vierhonderd patiënten van deze kliniek ontmoeten elkaar in de eetzaal aan het ontbijt, bij het middageten en het avondeten, op weg naar het buffet, bij het naar binnen en naar buiten hompelen. Twee patiënten zijn jonger dan ik, allebei zijn ze hier vanwege een niertransplantatie, alle anderen, hartlijders, maaglijders of andersoortige lijders, zijn ouder dan ik, veel ouder zelfs, waarschijnlijk, denk ik, is het voor het laatst dat ik ergens een van de jongsten ben. 's Morgens, 's middags en 's avonds zitten we samen aan tafel, verder brengen we ons all-inverblijf door met voorgeschreven therapieën en activiteiten; er zijn roosters voor elke dag, en het gerucht doet de ronde dat iemand die te veel van zijn therapieën verzuimt, de revalidatieopname op het eind zelf moet betalen. Ik geloof daar niet zo in en verslaap de ochtendgymnastiek in het bos om halfzeven en laat me ook bij het mandvlechten niet zien. Ik ga, wat nooit kwaad kan, naar de fitnessruimte. Ik moet op de ergometer, naar gymnastiek en naar schaduwboksen, ik twijfel tussen pottenbakken of speksteen bewerken, luister naar lezingen over levenslange immunosuppressie en de daarmee verbonden risico's. En ik leer wat ik allemaal niet meer mag eten: alles wat rauw of ongeschild is of direct uit de grond komt. Nooit meer sla. Het beste trouwens alleen nog maar voorverpakte diepvriesproducten of op een andere manier houdbaar gemaakt voedsel. Conserven. Beter geen goedbedoelde spullen uit de biologische winkel, in goedbedoelde spullen zitten te veel kiemen, geen rauwe vis, geen sushi, maar dat is niet zo erg, er zitten sowieso binnenkort geen vissen meer in de zeeën. En pas op voor grote samenscholingen, voor zwembaden, kleine kinderen en zieken. Ik weet nu al dat ik me daar niet altijd aan zal houden. Ik zit daar, luister en luister ook weer niet, ik voel me alsof ik weer op school zit, teken poppetjes en motiefjes op het papier van mijn spiraalbloc en wacht, helaas tevergeefs, op de bel van de grote pauze. Sinds mijn schooltijd heb ik me niet meer zo verveeld. Ik begin poppetjes op de tafels te tekenen, en overweeg welke namen van bands ik kan inkrassen, maar ik kom alleen op de namen die ik al als puber in de schoolbanken heb gekrast. The Smiths, The Cure, Siouxsie and the Banshees.

De tafelgesprekken gaan maar over één ding: er wordt altijd over ziektes gepraat, ongeremd en schaamteloos, alsof het erom gaat elkaar over en weer te overtroeven. Iedereen wil een nog ergere geschiedenis hebben doorgemaakt of op z'n minst kennen, het loopt uit op ziekenhuisbluf, op een wedstrijdje om het zwaarste lot, en de ergste ziektegeschiedenis wint. Ziekte is geen tekortkoming meer, integendeel, in de wereld van de revalidatie is ziekte, omkering van alle waarden, een onderscheiding. Dankzij onze ziekte zijn we immers hier.

Ik probeer niet de hele tijd te luisteren en lees onder het eten de krant. Toch kom ik er na verloop van tijd achter dat elke ziekte, onverschillig welke, haar patiënten een verhaal cadeau doet. Een verhaal dat hij of zij vervolgens graag vertelt, telkens opnieuw mooier gemaakt met vertragingen, uitweidingen en dramatische wendingen. Zichzelf te horen vertellen betekent nog te leven. Zolang ik praat, ben ik nog niet dood. Maar ik hou het geklets niet meer uit. Ik heb er voor altijd genoeg van.

228

Ik leer weer lopen. Elke dag een paar passen meer, elke dag een stukje verder. Ik haal tien meter, ik haal twintig meter, ik haal het tot beneden aan het meer. Het ruikt er naar bos en dennen, geen wonder, er staan hier bomen, de grond ligt bezaaid met eikels en kastanjes en veert onder mijn voeten. In de derde week heb ik een nieuwe lievelingssport, en die sport heet nordic walking. Ik steek er de draak mee, maar moet ook vaststellen dat nordic walking ongeveer net zo leuk is om te doen als het er idioot uitziet. En ziet het er niet heel idioot uit?

229

Ik krijg bezoek aan het meer, mijn vriendin of ex-vriendin, dat weten we niet zeker, mijn dochtertje met haar moeder, meneer en mevrouw Rutschky, mevrouw Hanika, mevrouw Rösinger, meneer Angele, meneer Merkel. We zitten op een bankje in de zon, in het café, aan het meer.

230

Ik wil naar de kapper, ik ben daar al zo lang niet meer geweest, ik wilde het weken geleden al, sta op het punt om te gaan, maar vergeet de tijd bij het lezen in het oude zwarte notitieboekje, dat nog in mijn tas zat. Ik lees 'De vermoeide giraf':

> Waarom ben ik toch zo moe? Ik ben zó moe dat ik niet eens meer kan slapen.

> *

> Ben ik moe omdat ik alleen maar lig? Ben ik moe omdat ik al zoveel heb meegemaakt? Heb ik eigenlijk wel iets meegemaakt? Ben ik moe omdat ik nog niets heb meegemaakt?

> *

> De moeheid komt na het eten, bij een volle maag. En in de zomer, als het heet is. En in de winter. Maar ook in de herfst. Om van voorjaarsmoeheid nog maar te zwijgen.

Ben ik moe omdat ik met veel te veel mensen veel te veel heb gepraat? Omdat ik te veel heb gezegd? Wat heb ik gezegd?

*

Je zit al in je ogen te wrijven, zei mijn moeder, in je ogen wrijven gold als een teken van moeheid. En ik dacht dat ik de slaap of de moeheid uit mijn ogen kon wrijven.

*

De slaap die 's ochtends tussen je wimpers kleeft: is dat de substantie van de slaap of het substraat van de uitgescheiden moeheid?

*

Je gaapt al – dat was de andere zin van mijn moeder. Ook gapen was voor haar een teken, en ik probeerde het dan ook 's avonds in haar aanwezigheid te onderdrukken. Maar een gaap onderdrukken is nog niet zo makkelijk.

*

En waarom heb ik aan vrijwel geen enkele onbeleefdheid zo'n hartgrondige hekel als aan hardop gapen? Vanwaar die overgevoeligheid? Geen lichaamsgeluid staat me zo tegen als gapen. Alleen omdat ik zelf altijd moe ben?

*

Alleen het woord al, die lange open klinker. Het woord 'gapen' uitspreken betekent al bijna het ook doen.

*

Ik word al moe bij de gedachte aan wat ik allemaal had kunnen doen. Al die mogelijkheden maken moe.

Moeheid (*defatigatio*) zou uitdrukking zijn van een onbehagen op
grond van een inspanning, een ziekte of een onderdrukte behoefte
aan slaap. Zo ongeveer staat het op Wikipedia. Maar hoezo? Is de
moeheid die op een inspanning volgt, geen lekkernij? Is echte moeheid geen beloning?

*

Van altijd werken word je moe, maar van niet-werken, van lumme-
len en liggen ook.

*

Fysiologische moeheid wordt veroorzaakt door een onevenwich-
tigheid tussen inspanning en herstel, bij lichamelijke of geestelijke
inspanning bijvoorbeeld. Of door een gebrek aan slaap. Of door
ontbrekende motivatie en verveling.

*

Omdat ik altijd zo moe was, gaf mijn moeder me al vanaf mijn tweede schooljaar 's ochtends koffie. Met veel melk. Strikt genomen was
het melk met een scheutje koffie.

*

Al jaren word ik ook van koffie moe. Er was een tijd dat koffie een
verkwikkend effect op mij had, helaas is dat voorbij. Koffie verdrijft
mijn futloosheid niet meer. Jammer. (Het woord 'verkwikkend'
klinkt tegenwoordig bijna slaapverwekkend, naar koffiereclame uit
de vorige eeuw.)

*

Lieve hemel, een jonge man zoals u, waarom bent u toch zo moe?
vraagt de oude man. Dat kan ik u helaas niet uitleggen.

*

Ben ik misschien zo moe omdat ik plaatsvervangend moe ben voor mijn opa? Omdat hij maar zo zelden tijd had om te gaan liggen en te slapen? Omdat hij te voet uit krijgsgevangenschap naar huis moest lopen? Heeft hij zijn moeheid op mij overgedragen? Moet ik voor hem moe zijn?

*

Het voelt aan alsof er iemand op mijn kosten heeft geleefd. Of was ik dat zelf?

*

Een verstikkende, wurgende, uitputtende moeheid overvalt me nadat ik het kind naar bed heb gebracht. Met deze moeheid vermengt zich de neiging om me te bedrinken. Ik denk dat mijn ouders dat zo hebben gedaan. Zodra ik in bed lag, gingen de wijnflessen open.

*

Als kind bewonderde ik het vermogen van volwassenen om onmiddellijk in slaap te vallen. Mijn vader ging liggen, deed zijn ogen dicht – en sliep. Het inslapen overviel hem waarschijnlijk bij het uitrusten op een gedachtestreep. Tegenwoordig is het omgekeerd: het kind valt meteen in slaap en ik, de volwassene, lig urenlang wakker omdat ik aan dit en dat en daartussen nog aan duizend andere dingen moet denken.

*

Maar dan val ik toch in slaap en word meteen weer wakker. En vraag me af of het mijn moeheid was die me gewekt heeft. Wat een onzin.

*

Ik ben moe van alle zorgen die ik me maak. Het is je slechte geweten dat je niet laat slapen, hoor ik mijn moeder zeggen. Aha, zit dat zo.

*

De moeheid van het nietsdoen – is het niet het menselijkste aan de mens dat hij kan zeggen: Ik blijf liggen, vandaag doe ik niets, ik wacht gewoon af, sta niet op, ik ben nu een oblomov?

*

De mens staat echter ook op, hoewel hij nog hondsmoe is. Ik kan me niet voorstellen dat dieren dat doen. Dieren zetten toch geen wekker.

*

Honden slapen veel, giraffen daarentegen bijna helemaal niet. Op de schaal van slaapduur van de verschillende zoogdieren staat de mens ongeveer in het midden. Is het voor giraffen gewoon te vermoeiend om te gaan liggen en weer op te staan, kost hun dat te veel energie? Hebben ze liggend misschien last van slapende poten? Heeft dat weinig slapen van ze met hun lange nek te maken? Zouden giraffen niet altijd ontzettend moe moeten zijn? Of hebben ze misschien geen tijd om te slapen omdat ze altijd maar moeten blijven eten, elke dag zo'n dertig kilo bladeren, waarvoor ze zestien tot twintig uur nodig hebben.

*

Als de mens evenveel zou moeten eten als een giraf, kwam hij tot niets anders meer. Hij zou geen tijd hebben om kathedralen, vliegtuigen en ziekenhuizen te bouwen, geen tijd om boeken te lezen en te schrijven, geen tijd voor de bioscoop of wat dan ook.

*

Een wangzakmuis heeft twintig uur slaap nodig. Worden de meeste wangzakmuizen tijdens hun slaap opgegeten?

De geschiedenis van mijn moeheid is de geschiedenis van mijn slapeloosheid. Want het klopt helemaal niet dat iemand die heel moe is, beter kan slapen of gemakkelijker in slaap valt. Dat klopt gewoon niet.

*

Ik ben moe zonder enige reden.

*

De mooiste vermoeidheid is de Spaanse, waartegen ik *tengo sueño* kan zeggen. Het Spaans maakt van elke moeheid een droom.

*

En dan is er die onwaarschijnlijk aangename moeheid, op zondag-ochtend, die vloeiend overgaat in de zondagmiddagmoeheid. Wat kan het toch prettig zijn om moeiteloos van de ene moeheid in de volgende te glijden.

*

Vreemd dat het water in watervallen het niet moe wordt te vallen, denk ik als ik een foto van de Niagarawatervallen zie.

*

Is niet-meer-willen niet veel menselijker dan altijd-verder-willen? Welk dier kan er nu beslissen op te geven?

*

Waaraan denk ik eigenlijk als ik moe ben? Kan ik dan eigenlijk wel iets denken? Het is ook zo'n wazige toestand.

*

Zit er nog wel iets in mijn hoofd? Verrassing, hier heerst leegte. En die leegte is bijna al weer interessant – als ik tenminste de energie zou kunnen opbrengen om me daarvoor te interesseren.

*

Is het moeheid bij gebrek aan zuurstof? Krijg ik niet genoeg lucht? Stik ik langzaam hier op aarde? Ben ik misschien, een mooie illusie, voor andere sferen gemaakt?

*

Moeheid is een berg waar ik vanaf rol, is een diep dal, is een vlakte, uitgestrekt met hier en daar spleten en gaten. Ze heeft de anonieme topografie van een onbekende planeet. Helaas ben ik veel te moe om die planeet te onderzoeken. Ik ga liever slapen.

*

Ik ben veel te moe. Het gaat niet. Te moe.

*

Het kind is nooit moe, ontkent altijd dat het moe is, probeert zelfs echte moeheid te weerleggen. Hoe langer ze opblijft, hoe opgewondener ze wordt, tot die opgewondenheid omslaat in oververmoeidheid.

*

De aangename chemische moeheid, de heerlijke propofolmoeheid, ik zou eraan kunnen wennen. Met propofol kon Michael Jackson slapen. Nu slaapt hij voor altijd.

*

Levensmoeheid: gewoon niet meer willen. Die komt in golven. Komt steeds weer. Ook bij mij.

*

Wat vreemd dat ik dan toch een keer uitgeslapen en niet moe ben –
omdat ik op zeker moment in slaap kon komen. Wat ik me natuurlijk niet kan herinneren.

*

Waarom ben ik zo moe? Waarom word ik niet wakker? Waarom
zou ik meteen na het opstaan weer willen slapen? Alleen omdat het
winter is en er geen bladeren aan de bomen zitten? Komt dat door
mijn winterslaapgen?

*

Waarom houdt de mens geen winterslaap? Omdat hij niet genoeg
vooruit kan eten om twee, drie maanden door te slapen? Dat zou
toch mooi zijn, in december inslapen en half maart, als de forsythia's
al bloeien, weer wakker worden.

*

Trekvogels stellen het heel vaak zonder slaap en vliegen hele nachten
door.

*

Of slapen vogels onder het vliegen? Meestal doen ze maar één oog
dicht, het andere blijft de omgeving in de gaten houden. Eenzijdige
slaap schijnt voor de rustende hersenhelft niet minder ontspannend
te zijn dan diepe nachtslaap.

*

Het zou mooi zijn als ook de mens maar een van zijn beide hersen-
helften kon laten slapen. Voor televisie kijken en voor veel andere
bezigheden zou één hersenhelft toch voldoende moeten zijn.

*

In een stoel zitten en voor je uit staren. *Tristissima*, onder de olie, moeheid in een andere toonsoort.

*

Moeheid maakt eenzaam, moe ben ik helemaal in m'n eentje.

*

Seks maakt ook moe. Post coitum inslapen is eenvoudig, maar niet altijd gewenst.

*

En dan, ondanks de moeheid, soms een inval. Klopt het misschien dat moeheid inspireert? Ik ben daar nog niet zo zeker van.

*

Als ik heel moe ben, ben ik mild. Als ik moe ben, ben ik teerhartig.

*

Moeheid, wie heeft dat ook alweer gezegd, is de pijn van de lever.

231

Eindelijk zit ik bij de kapper, mijn lange haren worden afgeknipt, en ik merk dat ik helemaal niet meer zo moe ben. Ik weet hoe dat komt.

SNEEUW

Voor een uitgebreide voorgeschiedenis verwijzen wij naar eerdere brieven. Patiënt W. presenteerde zich op onze poli met buikkrampen bij immunosuppressie. Serologie voor CMV was positief met 7/200 000 cellen. Er werd gestart met virostatische therapie middels cymeven i.v., en er werd een gastroscopie verricht die de diagnose CMV-colitis bevestigde.

De kamer heeft mij meteen herkend. Het bed, de lamp, het nachtkastje, het raam met zijn uitzicht, allemaal fluisteren ze: Daar ben je weer, eindelijk terug uit de revalidatiekliniek, weer bij ons.

Er zijn complicaties: ik kan en wil niets eten, ik kan niets drinken, ik hang aan het infuus. Het normaal gesproken onschuldige, maar bij een verzwakt immuunsysteem niet ongevaarlijke cytomegalovirus is daar de oorzaak van. 's Ochtends en 's avonds krijg ik een injectie, een sterk alkalisch medicament dat de vaten aantast. Ik moet steeds opnieuw geprikt worden, een dubbele rij rode puntjes over beide armen laat zien waar ik al geprikt ben, ten slotte zoeken de artsen aders op mijn voeten, ik voel me geperforeerd. Om mij onder de tong te prikken, zoals Julia het deed toen ze een junkie was, op dat idee komen de artsen niet. Gelukkig maar. Ik hou die mogelijkheid voor me.

Alles doet pijn, ik heb slechte zin, ik wil niet meer. Zelfs de stem van mijn moeder met haar 'stel je niet zo aan' is bij wijze van uitzondering niet te horen.

234

Ik blader in de krant en lees het verhaal van Vitangelo Bini, een gepensioneerde Italiaanse politieagent, die zijn vrouw in het ziekenhuis komt opzoeken en haar daar uit medelijden door twee handdoeken heen doodschiet. Twee schoten in het hoofd, twee in de borst. Getuigen verklaren dat hij zoals altijd rustig en vriendelijk was geweest toen hij de ziekenkamer binnenkwam – het was hun wel opgevallen dat hij een kleine weekendtas bij zich had. Hij was aan het bed van zijn vrouw gaan zitten, had haar over het hoofd geaaid en iets in haar oor gefluisterd, daarna had hij twee handdoeken gepakt, ze over haar gezicht en borst gelegd en nog voordat iemand kon reageren, een pistool getrokken en twee keer geschoten. Hij had nóg twee schoten gelost omdat hij had gemerkt dat zijn vrouw, tweeëntachtig jaar oud en al twaalf jaar alzheimerpatiënt, nog ademde. Toen was hij op een stoel gaan zitten, had zijn telefoon uit zijn zak gehaald en de politie gebeld, voormalige collega's van hem. Ik kon het niet verdragen haar zo te zien lijden, nu rust ze in vrede, zou hij gezegd hebben toen hij werd weggevoerd. Zijn weekendtas had hij alvast voor de gevangenis ingepakt.

Komt er misschien iemand, vraag ik me af, die medelijden heeft en mij doodschiet?

Het kind is de enige reden dat ik hier nog lig, een andere wil me niet te binnen schieten. Want ik weet dat het niet fijn is als mama of papa er plotseling niet meer is.

Ze is één keer hier geweest, met haar moeder. Ze vond het hier niet leuk, en wilde meteen weer weg. Het was niet haar vader die ze daar zag liggen, maar een met slangetjes aan apparaten hangende vreemdeling, een rare patiënt.

Ik weet nog dat ook ik, hoewel ik veel ouder was, voor mijn moeder in het ziekenhuis maar weinig belangstelling heb getoond. Ik wilde niets met het ziekenhuis te maken hebben, haatte die bezoeken aan het ziekenhuis. De gezonde, tennis spelende en cabriolet rijdende moeders van mijn klasgenoten vond ik veel interessanter dan die stervende vrouw op de schapenvacht.

Een wesp vliegt telkens weer tegen het raam, klopt met zijn hele lichaam vanbinnen tegen de ruit, wil naar buiten en komt niet verder. De wand van glas begrijpt hij niet. Al snel kruipt hij alleen nog maar over het glas rond, langzamer en langzamer, de gevangene zoekt een weg naar de hemel. Ik overweeg of ik me door hem zal laten steken of hem met een klap van de opgerolde krant moet doden. Doodslaan met een krant, de methode van mijn vader – hij moest dat soms doen omdat mijn moeder een panische angst voor wespen had en schreeuwde als ze er een zag. Ik zou de economische rubriek en het cultuurkatern kunnen opvouwen en slaan, ik zou niet eens bijzonder snel hoeven te bewegen of me in te spannen, de wesp is al afgemat.

Ik denk aan de dieren die ik heb gedood, aan de honden die het slachtoffer zijn geworden van Starzl in zijn lab en aan de dromen waarin ik zo nu en dan meen iemand vermoord te hebben, schulddromen waarin mijn slechte geweten boven alles zweeft en het me duidelijk wordt: daarmee moet je voortaan leven. Na het wakker worden ben ik altijd heel opgelucht als het me begint te dagen dat ik misschien toch niemand heb vermoord. Echt niet? Heb ik niet iemand op mijn geweten? Jou? Moet ik me schuldig voelen omdat ik overleefd heb, maar jij niet?

237

Bij het uitrollen van de krant ontdekte ik de overlijdensadvertentie van de man die in de revalidatiekliniek schuin tegenover mij aan tafel had gezeten. In de reusachtige eetzaal waren wij twee 's ochtends de enigen die de krant lazen en elkaar nieuwe details over hun ziektegeschiedenis bespaarden. We vonden, daarover waren we het zonder woorden met elkaar eens, de lectuur interessanter dan ons transplantatieverhaal. Nu lees ik dat hij een week geleden is overleden. Wat me eraan herinnert, verder probeer ik er niet aan te denken, dat bijna twintig procent van alle ontvangers van een donorlever het eerste jaar niet overleeft. We zullen zien, ik heb er al twee, binnenkort drie maanden op zitten.

Van B. weet ik dat de overlevingskansen in Amerika veel groter zijn. Maar dat komt alleen doordat degenen die al heel ziek zijn en daarom geen goede overlevingsprognose hebben, daar in de meeste gevallen helemaal niet getransplanteerd worden. De klinieken, die immers met hun succesquota reclame maken, transplanteren liever lichtere gevallen.

En weer heb ik geluk, het agressieve wondermiddel slaat aan, het virus loopt terug. Het had veel langer kunnen duren. Ik kijk uit het raam, de bladeren zijn verkleurd en vallen van de bomen. Hoe heet dit jaargetijde ook alweer? Op het kanaal wordt een kolenschip gelost, in de verte zie ik een trein, geel-rood glijdt hij voorbij, daarachter goederentreinen, een witte hemel.

Bijna alle jaargetijden heb ik hier gezien, alleen de winter ontbreekt nog. En prompt – ik moet oppassen met wat ik wens – begint het buiten te sneeuwen. Een flinke sneeuwbui, dikke vlokken, sneeuw waar je blij van wordt, zomaar blij. Telkens opnieuw probeer ik de vlucht van een vlok te volgen, want jij zou die vlok kunnen zijn. Het lukt me overigens nooit lang, ze lijken allemaal wel heel veel op elkaar. Toch zijn, dat heb ik een keer gelezen, in de loop van de ontwikke-lingsgeschiedenis van de aarde nog nooit twee exact dezelfde sneeuwvlokken uit de hemel gevallen, de mogelijkheden van kristallisatie zijn onvoorstelbaar groot.

Ach, het houdt al weer op. En er blijft niets liggen.

Ik lig onder een schone deken, en op mijn nachtkastje staat koffie – ziekenhuisidylle, kliniekarcadia. En dan krijg ik een vermaning omdat ik weer een slagveld van mijn ontbijtblad heb gemaakt. Alsof ik mijn eigen kind ben voor wie ik een boterham smeer, heb ik de korstjes aan de randen van de sneeën er afgesneden en opgestapeld en zoals bijna elke ochtend heb ik de honing- en jamrestjes uit de portiebakjes gelepeld. Misschien ben ik die wesp wel.

241

Op de gang kom ik de grote, forse vrouw weer tegen, de reuzin. We zijn elkaar al vaker tegen het lijf gelopen en zoals altijd begint ze meteen te vertellen: dat ze zich met haar derde lever voelt alsof ze iemand anders heeft verorberd. Ze heeft het daar al eerder over gehad, in de gemeenschappelijke ruimte, een keer 's nachts, toen zij en ik niet konden slapen. Ze zegt dat ze een ander mens heeft gegeten, dat ze haar op de intensive care mensenvlees hebben gevoerd, en de man die ze verorberd heeft was een heel knappe, sterke man. Maar wel een moordenaar, die op de vlucht voor de politie onder een auto was gekomen, vandaar zijn hoofdletsel, zijn hersendood enzovoort.

Helaas kan ik niet met haar over haar kannibalismefantasie praten, ze wil alleen maar zelf aan het woord zijn. Haar idee staat me wel aan, er zijn tenslotte natuurvolken die geloven dat ze zich de dapperheid van overwonnen vijanden in een kannibalistisch ritueel kunnen toe-eigenen, wat niet hoeft te betekenen dat de gedode strijders met huid en haar worden opgegeten. Meestal is het voldoende alleen een hapje van hart en lever te nemen.

Heb ik niet, denk ik nu, ook jouw dapperheid erbij gekregen, die bijna vergeten deugd? Is dat waarom ik dit alles uithou?

Van de verpleegkundige die het liefst binnenkort weer op de boerderij van haar ouders gaat werken, hoor ik het verhaal dat een patiënte in haar overlevingseuforie meende dat ze de jackpot gewonnen had, zes goed en het reservegetal. Ze belde al haar vrienden en zei: Ik heb miljoenen gewonnen, koop wat je wilt, ik betaal alles. Aan de plaatsvervangende chef-arts beloofde ze twintig miljoen voor een uitbreiding van de kliniek.

En eigenlijk klopte het ook, ze had gewonnen. Ze was nog in leven, de wereld behoorde haar toe.

De euforie van het overleven, dat heb ik al gemerkt, houdt jammer genoeg niet aan. De verschrikkelijke, eindeloze, lege, vertwijfelde dagen, ze komen terug. Terwijl ik nu toch een nieuw leven heb, alles weer op nul, nog één keer van voren af aan. Zou ik niet van 's ochtends tot 's avonds moeten jubelen? Elke dag? Aan één stuk door?

243

En weer zie ik een man in een blauwe overall beneden door de stilte fietsen, hij fietst in een licht kronkelende lijn over het asfalt, alsof hij vrede met de wereld heeft gesloten. Hij zal wel geen haast hebben.

Als ik me uit het geopende raam buig om hem na te kijken, merk ik dat ik hier helemaal niet zo goed uit het raam zou kunnen springen. Eén verdieping lager steekt er een met kiezels bedekte uitbouw uit de voorgevel, een plat dak dat een beetje schuin afloopt. Naar buiten buigen kan ik alleen omdat ik van de verpleegkundige met wie ik op het moment het beste overweg kan, de sleutel heb weten af te troggelen, waarmee het raam helemaal geopend kan worden. Als ik nu uit dit raam spring, heeft zij een groot probleem.

Soms maak ik het mezelf gemakkelijk en denk op zulke momenten aan het kind, dat zo ongelofelijk blij kan zijn. Het helpt, de blijdschap straalt terug. Dat is de kindertruc, die meestal werkt.

244

Ik sta nog altijd bij het raam en tel de geparkeerde auto's. De acht of negen parkeerplaatsen zijn gereserveerd. Nummerbordjes geven aan wie zijn auto waar mag neerzetten. Een Volkswagen kever springt in het oog, hij past niet tussen de veel grotere Audi's en BMW's. Kevers zie je trouwens toch bijna niet meer, denk ik. Het is allang niet meer zo dat iemand die Volkswagen zegt, ook een kever bedoelt.

245

Mijn moeder – ook al kan ik me dat zelf niet herinneren, ik weet dat alleen van oude foto's in een album – reed tijdens mijn eerste levensjaren in een kever. Dus ik ben, zo stel ik me dat voor, na mijn geboorte in een kever van het ziekenhuis naar huis gereden.

246

Ook Verena had een kever, waarin ze me soms meenam, ze had hem van haar oma geërfd. Hoewel ze juriste was, zat ze vaak in de bibliotheek van de romanisten, eigenlijk had ze liever Italiaans gestudeerd, maar nu promoveerde ze op een juridisch onderwerp dat haar niet bijzonder interesseerde. Ze leed onder haar superouders, een vader die president van het gerechtshof, en een moeder die een zeer succesvolle, nogal prominente advocate was. Allebei maakten ze haar het leven moeilijk.

Af en toe spraken we af in de oude universiteitscafetaria of bij de uitgang van de bibliotheek en nam ze me mee naar Kreuzberg, waar ik aan de ene, zij aan de andere kant van het Görlitzer Park woonde. Juist omdat haar ouders die buurt verafschuwden, was ze daarnaartoe verhuisd en niet naar het huis in Schmargendorf dat haar vader op haar naam had laten zetten en waarin een ander, veel groter appartement op haar wachtte. Naast haar in de kever, waarin alles altijd een beetje trilde, keek ik naar haar volle, zachte lippen, die bijna opgespoten leken, maar het niet waren, en stelde me voor op een dag met haar in dat huis in de buurt van Grunewald te wonen, ze was er een keer met mij langsgereden. Ik stelde me voor met haar getrouwd te zijn, hoewel ik me bij haar altijd een beetje verveelde, al was het ook op een zeer aangename manier. Merkwaardig genoeg had ik me, al voordat we elkaar de eerste keer kusten, voorgesteld hoe ik haar later zou moeten bedriegen, al tijdens de eerste voorzichtige liefkozing in haar kever wist ik hoe vaak ik tegen haar zou liegen, ik had de slechte afloop van onze liefdesroman in mijn hoofd al geschreven voordat hij überhaupt begonnen was.

Jaren later heb ik haar een keer per ongeluk gebeld. Ze vertelde dat ze een dochter van twee had, met een psycholoog was getrouwd, in Schmargendorf woonde en opnieuw in verwachting was.

Waar ik ook kijk, overal zie ik stillevens. Omdat ik zoveel tijd heb? Veel te veel? En omdat ik net zo lang naar de muur, naar mijn nachtkastje en de waterflessen, de pakjes vruchtensap en ongelezen boeken kan staren tot alles waar ik naar staar, in een stilleven verandert? Misschien wil ik alleen nog maar stillevens zien omdat ze in het Frans *natures mortes* heten.

Tussendoor dommel ik wat voor me uit, lui en moe. Ik wacht, al heb ik geen zin meer om te wachten. Ik weet niet meer waarop.

248

Buiten stormt het. Is het – dramatische wending – een herfststorm? De kastanjebomen voor het raam zijn opeens kaal, nauwelijks nog een blad, nergens. Buiten regent het, hierbinnen niet, ik geloof dat het giet. Geen idee of muggen zo'n regen overleven, tenminste als er nu nog muggen zijn. Gesprekken over bladeren harken in de tuin schieten me weer te binnen, vorig jaar of het jaar daarvoor heb ik ze hier moeten aanhoren. Nu zijn er alweer bladeren af gevallen.

249

Ik droom dat ik uit de gevangenis ontslagen word en naar huis mag. Ik word afgehaald, mama en papa zijn er, ik ben, vreemd, weer vijf jaar en kom terug in ons huis. Ik heb nog de kamer met de twee ramen op de tuin, die achterin, naar de holle weg toe, een beetje afhelt. Zijn we niet allang van hier

247

verhuisd? Is het huis niet verkocht? Is mijn oma, die daar bij ons woonde, niet dood? En waarom leeft mijn moeder weer?

250

Op de gang zie ik de Siberische appelman. Hij draagt dezelfde geruite blouse als weken geleden en heeft twee plastic zakken in zijn hand, lijkt zich daaraan vast te houden. Ik knik groetend, maar hij ziet me niet. Zijn weer goedgevulde waterbuik verplaatst hij tot bij de personeelskamer, hij maakt een onderdanige buiging en vraagt een van de verpleegkundigen of hij één keer, één keertje maar, kort mag bellen. De verpleegkundige vindt het goed, het deemoedige gebaar, de symbolische onderwerping, de buiging, dat alles heeft haar kennelijk bevallen, misschien zelfs gevleid, misschien heeft het haar ook alleen maar ontroerd.

251

Hoe gaat het nou verder als ik dood ben? Ik geloof dat ik liever als aandenken een grassprietje langs de rand van de weg zou hebben, waar iedereen langsloopt, een grassprietje dat nooit door iemand gezien wordt, tot het op een dag afgemaaid of uitgetrokken wordt. Of gewoon verdroogt.

252

Ik heb tijd, veel te veel tijd om de ziekenhuisvloer te bekijken. Het lijkt wel of er in het patroon van de vloer nu heel andere

dingen te zien zijn, terwijl het toch steeds dezelfde rookblau-
we kleurvijver van linoleum is, elke dag. En mijn bed is het
vlot dat op die vijver drijft, het water spiegelglad en helder.

253

De schoonmaakster met een pistachegroene schort en donker haar leegt de prullenbak die ik met ongelezen kranten
heb gevuld, en doet er een nieuwe zak in. Ze veegt de tafel af,
de lampenkap, die daardoor een tijdje heen en weer schom-
melt, en tot slot het nachtkastje. Van tevoren tilt ze op wat er
ligt, en als ik te veel boeken (die ik toch niet lees) en kranten
op het klaptafeltje heb liggen, beklaagt ze zich erover dat ze
zo niet kan stoffen. Ik zeg dat het me spijt. Lege waterflessen,
dat valt buiten haar takenpakket, neemt ze niet mee. Soms
doet de verpleegkundige dat 's avonds, op haar laatste of
voorlaatste ronde door de kamers, voordat de nachtzuster het
overneemt. Niet zonder de opmerking dat iemand die volle
flessen haalt, vast ook in staat is de lege terug te brengen. Ik
hou wel van die opvoedkundige pogingen. Ik ben weer acht,
dadelijk roep ik nog om mijn moeder.

254

En weer een nieuw iemand naast me, een Libanese slager,
die vier vingers van zijn rechterhand heeft afgesneden. Niet
helemaal eraf, maar wel bijna. Zijn messen zijn scherp, vertelt hij, tot op het bot heeft hij alle pezen doorgesneden, de
onbeschermde hand was over het lemmet uitgeschoten. Hoe
dat kon gebeuren, begrijp ik niet helemaal, wil het misschien

ook niet begrijpen. Mijn hand doet pijn terwijl ik hem hoor vertellen, dat ken ik al, sympathisch overgedragen pijn.

Hij heeft een eigen zaak, al een paar jaar. Twee van zijn medewerkers komen op bezoek en brengen vlees, Turks brood en groente voor hem mee, ze hebben meer dan genoeg bij zich, ziekenhuiskost wil hij niet eten. Hij biedt me van alles iets aan, en ik proef ervan. Al snel vertelt hij me over het asielzoekerscentrum in Rüsselsheim, waar hij in 1990 had gewoond, vertelt dat hij uit een slagersdynastie afkomstig is en twaalf jaar in een vleesfabriek heeft gewerkt voordat hij zijn eigen slagerij kon openen, in Schöneberg, aan de Hauptstraße, niet ver achter het Odeon.

Twee van zijn broers zijn gevallen. Of nee, hij zegt dat ze gedood zijn. Zijn oudere broer werd door de Israëli's doodgeschoten, in 1982 tijdens de eerste Israëlische Libanonveldtocht, de andere, zijn jongste broer, stierf bij een bomexplosie in de burgeroorlog, mijn buurman geeft de strijders van de christelijke milities hiervan de schuld.

Op een dag staan zijn vijf kinderen in de kamer, vier dochters en een zoon. De knapste dochter, elf of twaalf jaar, tenger, donker haar, ik denk nog dat ze een beetje bleek ziet, zakt plotseling ineen, eerst langzaam, in slow motion, dan snel. Ze valt flauw zoals ik het tot nog toe alleen in de bioscoop heb gezien. Ze kan niet tegen ziekenhuizen, wordt er gezegd, wilde ook helemaal niet mee, maar ze had geen keus, ze moest mee.

255

Mijn tantes zeiden altijd dat die of die in Griekenland was gevallen, een ander in Afrika en nog iemand anders in Rusland. En ik, als ik hen dat als kind hoorde zeggen, dacht altijd dat ze in diepe ravijnen waren gevallen, heel ver naar beneden, ik zag hen vallen in hun uniformen, die ze aanhadden op de foto's in de zilveren lijstjes boven de kaptafel, de broers, de vaders en de zonen.

256

's Ochtends komt de verpleegkundige en vraagt wat ik wil drinken. Wat ik wil drinken? Ik zeg: Koffie. Ik zeg altijd koffie, want op het nachtkastje staat water. 's Avonds drink ik thee.

257

Ik hoef alleen maar te liggen. Ik hoef alleen maar te liggen en af en toe te beweren dat ik mijn temperatuur heb opgenomen. Elke ochtend verzin ik een getal, ik ben allang veel te lui om de koortsthermometer onder mijn oksel te steken. En ik bedenk dat ik het hier eigenlijk wel best vind. Het ziekenhuis bevrijdt van veel dingen die anders zo enorm belangrijk lijken.

Misschien ben ik al te lang hier.

258

Twee of drie uur staar ik naar de grijsglazen waterfles op het nachtkastje. Ik vind het silhouet mooi, en ook de papieren wikkel. Trots ziet hij eruit, die fles. Ik heb de indruk dat hij straalt.

En ik merk dat het helemaal niet zo moeilijk is net zo lang naar dingen te kijken tot ze iets heel anders betekenen. Alleen weet ik niet altijd wat.

259

Opstaan is nog altijd moeilijk. Als ik eenmaal lig, dan lig ik ook. De buikspieren die nodig zijn om overeind te komen, zijn dwars doorgesneden, en ik mis de triangel boven mijn bed, waaraan ik me anders had kunnen optrekken. De hoofdverpleegkundige die hem heeft laten verwijderen vindt dat ik het opstaan moet oefenen en me daarbij best mag inspannen. Ze heeft waarschijnlijk gelijk.

In plaats van me gewoon met de armen omhoog te trekken moet ik nu op de rug liggend mijn knieën optrekken, mijn heupen met behulp van mijn benen optillen en met beide ellebogen richting bedrand robben. Als ik mijn voeten eenmaal op de grond heb, kan ik mijn bovenlichaam met mijn armen overeind duwen.

Het litteken voel ik bij elke beweging.

260

Rondom het litteken is de buikwand nog altijd gevoelloos, net als de navel. Als ik met mijn vingers over mijn huid strijk, ben ik verbaasd omdat ik verwacht mijn vingers te voelen, ook de huid van de buikwand zou toch moeten merken dat er iemand aan hem zit – maar mijn vingertoppen betasten slechts iets wat voor hen aanvoelt als de buitenkant van een rubber bedkruik.

Ik ben tevreden over het litteken, ik vind het mooi. Ik ben zelfs een beetje trots op dit litteken, dit schriftteken dat ik nog niet kan ontcijferen. De chirurgen noemen het de Mercedesster.

En als deze ziekenhuis-Odysseus niet naar een strafkamp hoeft, als hij op een dag misschien toch naar huis mag, zal hij dan aan dit litteken herkend worden? Mijn voedster leeft nog, ze heeft me een kaartje gestuurd. Ze wenst me beterschap.

261

Vroeger had ik andere littekens, het grootste was afkomstig van een leverbiopsie, mijn eerste, uitgevoerd in een ziekenhuis waar die ingreep nog niet elke dag op het operatieprogramma stond. De arts, de vader van een van mijn klasgenoten, maakte eerst een snede met het scalpel, boorde daarna, terwijl vier andere artsen en verpleegkundigen mij vasthielden, een edelstalen, kindervingerdikke canule in mijn zij en scheurde een stukje weefsel uit mijn lever. Ik geef toe dat het pijn deed. Op de schaal van de roodharige arts minstens een zeven, zo niet een acht, al was het wel maar een heel kortstondige pijn. Latere biopsieën lieten slechts kleine puntjes achter, de meeste zijn onder of in het nieuwe grote litteken verdwenen. Nu heb ik, heel praktisch, nieuwe littekens boven op de oude.

262

Opeens ben ik alleen in de kamer. Niemand naast mij, niet eens een leeg bed. Het vertrek ziet er meteen veel groter uit.

Ik voel me als in een hotel, met dit verschil dat de roomservice niet aanklopt voordat hij binnenkomt.

Ik herinner me een kamer in Mexico-Stad, niet ver van het Monumento a la Madre. Ik verbleef zeven weken in hetzelfde hotel, omgerekend kostte het elf dollar per dag, de peso was juist in waarde verminderd. Later nam ik mijn intrek in een ander, nog goedkoper hotel in de calle Mariscal, tegenover de Academia de Artes. Maar dat was, ik merkte het pas toen ik er woonde, tevens een bordeel. Gloria was er niet blij mee.

263

De windzak op het platte dak aan de overkant gaat omhoog en omlaag. Hij ziet er moe uit, nog wat verweerder dan eerst, vlekkerig, bijna vuil, het oranje is verschoten. Een slonzige non zou dat zijn, met zo'n kap.

De hemel betrekt en breekt weer open. De zon komt tevoorschijn, 's avonds gaat hij onder. Verder gebeurt er niet veel.

264

Ik zou willen dat Rebecca langskomt. We zouden langs het kanaal kunnen gaan wandelen, over de bladeren die nog op de paadjes en op het oude jaagpad langs het water liggen, ik stel me voor hoe ze zouden ritselen, de bladeren, tot aan de Pekinger Platz zouden we kunnen ritselen en daar in een van de cafeetjes gaan zitten.

Telkens weer vergeet ik, telkens weer wil ik vergeten dat

ze helemaal niet meer leeft. Haar reizen naar Afghanistan, ze was daar twee- of driemaal met het Gezelschap voor Technische Samenwerking, had ze allemaal zonder kleerscheuren doorstaan, ze was ontvoerd noch geëxecuteerd noch bij een wegversperring uit de auto gesleurd en doodgeschoten, nee, ze stierf hier in Berlijn op weg naar haar schrijftafel in Berlijn-Mitte, haar zoon van tweeënhalf had ze juist in het kinderdagverblijf afgegeven. Ze stak de straat over en werd door een bestelwagen overreden, ze was op slag dood.

265

En ik droom dat ik de rekening krijg. Had ik destijds, op de dag dat mijn vulpen lekte, het contract nou maar gelezen. Wat heb ik toen getekend? Moet ik nu, heeft niet alles zijn prijs, betalen? De plaatsvervangend chef-arts komt met een blad papier de kamer binnen. Eerst denk ik dat het bij dat blad, iets kleiner dan een A4'tje, om een oorkonde gaat, een soort erediploma voor de winnaar of een oorkonde voor bijzondere verdiensten, zoals scholieren die krijgen voor de succesvolle deelname aan de landelijke jeugdwedstrijden. Een oorkonde waarop, onbeholpen geformuleerd, GELUKT, U HEBT OVERLEEFD! staat. Maar de arts feliciteert mij niet, hij zegt alleen: Alstublieft, de rekening, en geeft me het papier. Ik werp er een blik op en zie een gigantisch getal, een onuitsprekelijk bedrag, een Duckstadgetal dat ik, weet ik meteen, nooit van mijn leven zal kunnen opbrengen. Wat ik hem dan ook zeg. Geeft niet, luidt zijn reactie, u kunt ook met uw bloed betalen. Met mijn bloed? Is mijn bloed dan zoveel waard? vraag ik enigszins verrast, waarop de arts – ik hoor zijn zolen kraken, het zullen wel leren zolen zijn – antwoordt: Dat bedoel ik natuurlijk symbolisch. Maar dat begrijp ik niet. Hoe stel hij zich dat voor? Is in een droom niet alles symbolisch? Ik kan het hem niet meer vragen, hij is al weg, de rekening ligt op het nachtkastje.

De zorgverzekeraar betaalt de rekening, ik ben erg opgelucht als mij dat na het wakker worden te binnen schiet. De zorgverzekeraar krijgt niet alleen een rekening van het ziekenhuis, hij krijgt er ook een van Eurotransplant voor het ter beschikking stellen van het orgaan en de daarmee verbonden kosten. En tot nu toe heeft nog geen enkele verzekeringsmedewerker mij gebeld en gevraagd of ik niet eens wat sneller zou kunnen doodgaan, dat zou namelijk gunstiger zijn. Tot nu toe heeft ook niemand geïnformeerd of al die inspanningen en onkosten eigenlijk wel de moeite lonen. Of ik voor hun zogenaamde solidariteitsgemeenschap wel zoveel waard ben.

Later lees ik in de krant over Thomas Starzls Duitse favoriete leerling, de steroperateur, chef-arts in Essen, genaamd 'het levergenie', die voor operaties blijkbaar bijdragen in contanten heeft gevraagd, vijfduizend, soms ook tienduizend euro, een mooi stapeltje bankbiljetten voor in de zak van de witte jas. Alleen om te garanderen dat hij zelf opereert. En niet een of andere assistent. Hij zit nu in de gevangenis.

266

Hoe luidde de voorwaarde van de fee ook alweer? Ik had haar aan de telefoon niet goed begrepen. Bel toch nog een keer, toe, bel toch nog een keer.

De dagen verstrijken. Verplegend personeel, artsen, bezoekers komen de kamer in, ik word ergens naartoe en weer terug gereden. Op een keer word ik geduwd door een man met een rossige baard en weinig haar, ook hij bedient zich van de rituele communicatie: Hé, hoe maken we 't vandaag, gaat-ie dan, daar komt de bocht. Hij vertelt me over de draadloze controle van de patiëntenvervoerders, de ochtendploeg telt zesentwintig medewerkers, 's middags zijn het er minder, allemaal hebben ze een mobieltje van de kliniek en moeten ze signalen geven: ben op de afdeling, patiënt ontvangen, of: ben ter plaatse en weer beschikbaar. De hoofdopzichter zit blijkbaar voor een scherm en kan toezicht houden op de bewegingen van zijn mensen, hoewel er op het kliniekterrein ook plaatsen zonder zendbereik schijnen te zijn, waar je een beetje op adem kunt komen. Aan de vijfentwintig tot dertig kilometer komt hij per dag, zegt de ziekenhuis-Ahasverus, mij zie je 's avonds geen ommetje meer maken. Schoenen gaan vijf maanden mee, soms een halfjaar.

268

Wat word ik toch goed verzorgd, wat is het ziekenhuis aardig voor me. Ik heb een bed en krijg te eten, driemaal daags. Ergens anders hebben ze geen ziekenhuizen, en mensen gaan zomaar dood. Maar ik lig hier weken-, maanden-, jarenlang in een bed en hou al die artsen aan het werk, verpleegkundigen, fysiotherapeuten, patiëntenvervoerders en schoonmaakpersoneel.

En wat moet ik doen om dat te verdienen?

Ik kijk naar de muur en naar de kast, dan omhoog naar het
zwijgende televisietoestel en naar de twee reproducties, die
ik steevast over het hoofd zie. Ik kijk naar het nachtkastje
naast het bed en naar het bedieningspaneel met de knopjes
waarvan er maar één functioneert – het knopje waarmee ik
het licht aan en uit kan doen. Van de zee geen spoor, ik lig
niet aan de Stille Oceaan, zie in plaats daarvan boomtoppen
voor het raam – wacht maar, nog even – buiten speelt het
jaargetijdentheater, geeft een voorstelling, het stuk heet nog
altijd herfst, elke ochtend hangen er minder bladeren aan de
bomen. Daarom heb ik nu ook vrij zicht op een gebouw dat
op enige afstand elke dag een beetje groeit. Zo ziet vooruitgang eruit. Het is begonnen als een geraamte van staal, nu
verlicht een grote gele kubus de rails van de ringspoorbaan.

Ik sta op, trek mijn ochtendjas over het vleugelhemd aan, zie
af van de wegwerpschort en loop langzaam naar de uitgang
van de afdeling. Ik betreed het portaal met de liften en neem
de eerstvolgende lift naar beneden, ik haal het tot de kiosk en
verbaas me daar al bijna niet meer over, koop een krant en
loop wankelend langs allerlei omwegen naar buiten. Ik vind
het koud in de wind, maar ik wil mijn raam van beneden af
zien. Ik tel de verdiepingen aan de lange banden met ruiten,
en kijk aan, A7, raak, tot zinken gebracht, ik herken het aan
de lege flessen die op de brede vensterbank staan, achter de
jaloezieën, al zeker een week. En ik zwaai naar boven naar de
niemandskamer, zwaai naar mijzelf, want ik zit daarboven, ik

verbeeld me mijzelf te zien, in het kraaiennest, op de wild-kansel.

271

Mijn oom in Oostenrijk heeft me ooit op de jacht meegeno-men, ik moet tien of elf zijn geweest. Hij wekte me tegen vier uur in de vroegte en ging met mij, hij had zijn jachtgeweer bij zich, dwars door de boomgaard naar het bos, waar het donker ons net zo lang omgaf tot we aan de rand van een open plek kwamen en – inmiddels schemerde het al – op een kansel klommen. En daar zaten we dan en zeiden geen woord. We wachtten op het wild dat toen al snel op de weide verscheen, het leek of de reeën tikkertje speelden. Mijn oom had zijn geweer in de hand, maar schoot op geen van die die-ren. Toen we na ongeveer een uur van de kansel naar bene-den klommen, stond er plotseling voor ons op de bosweg een jonge reebok, die zich niet had durven vertonen op de open plek samen met de groten. Hij keek in onze richting, keek mij in de ogen, ik keek in zijn ogen, maar toen had mijn oom al aangelegd en geschoten. Het dier vloog in de lucht, spreidde zijn poten, zakte ineen en viel op de grond. Het was dood en werd ter plaatse opengesneden. Het grootste gedeel-te van de ingewanden gooide mijn oom in het struikgewas, daar zal de vos wel blij mee zijn, zei hij, de van het lichaam gescheiden schedel zaagde hij later in de tuin open, ik keek daarbij toe. De hersenen en de testikels at hij 's avonds gebra-den met roerei, ik mocht proeven.

Bloedprikken, net als bijna elke dag. En zoals altijd ben ik bang de arts teleur te stellen, ik wil graag goede waarden leveren. Want hoe het met mij gaat, hoe het écht met mij gaat, weet ik pas als ik mijn waarden ken. Ik ben mijn ziektedossier, ik ben de status van mijn waarden, ik ben

natrium kalium calcium
creatinine albumine
totaal eiwit bilirubine
lipase amylase
ALAT ASAT γGT
LDL HDL
GLDH LDH
MCH MCV
MPV MCHC
lymfocyten leukocyten
monocyten trombocyten
granulocyten erytrocyten
triglyceriden hematocriet
cholesterol hemoglobine

273

En plotseling zijn er geen maaltijdkaarten meer. De ponskaarten, deze relicten, deze kleitabletten van de elektronische gegevensverwerking waarop ik tot nu toe elke dag moest aankruisen welke maaltijdcombinatie ik wilde, zijn afgeschaft – er gebeuren nog wonderen. Nu komt een van de verpleegkundigen met een elektronisch bestelapparaat in de kamer en vraagt wat we willen eten. Een beetje lusteloos, omdat hij ze in elke kamer weer moet opdreunen, leest hij de alternatieven voor. Ik mis de kaarten nu al.

274

Een vrouw, ongeveer van mijn leeftijd, komt zonder iets te zeggen de kamer binnen, begint de vloer te dweilen en stoot met haar zwabber tegen elke stoel- en tafelpoot. Dat doet me pijn, de stoel- en tafelpoten, de kruk en de prullenbak, het zijn tenslotte mijn kameraden. En die vrouw schuift ze maar wat heen en weer.

Ze heeft zich al weer naar de deur gedweild en wil de kamer uit gaan als ik zeg: Bedankt. Ze kijkt op, lijkt me nu pas op te merken, kijkt me aan, strijkt een plukje haar uit haar gezicht, schraapt haar keel, trekt haar mondhoeken omhoog zodat het er bijna als een glimlach uitziet, en zegt zachtjes: Graag gedaan.

275

Mijn kamergenoot Karl-Heinz, die als kok op een torpedobootjager van de marine van de voormalige DDR heeft gediend, wordt ontslagen. Hij heeft nog wat levenswijsheid voor me bij de hand: elke dag is nieuw, heden is er altijd, elk gerecht wordt maar één keer gegeten en een gemiste kans komt nooit meer terug.

Ik zal proberen het niet te vergeten.

Zondagmiddag in het ziekenhuis. Ik ben moe van de uitstapjes naar de badkamer, moe van het dwalen over de gang, moe van het naar buiten kijken, moe van het open- en dichtslaan van het boek waarin ik nauwelijks gelezen heb. We liggen weer met z'n tweeën op de matras. Jij bent er altijd, als ik lig, als ik opsta, als ik weer ga liggen en me in bed alleen maar omdraai. Ik voel je bij elke ademhaling, bij elke beweging, we liggen samen op dit vlot, samen drijven we op deze zee.

En al die brokken uit mijn herinnering, de vertwijfeling, de pijnlijke dingen, de kleine ziekenhuisgenoegens, misschien hoef ik ze alleen maar op te schrijven, dat zou al een soort bedankbrief zijn.

Ja, vita nova, ik moet dit nieuwe leven beginnen. De schoonmaakster had gelijk door hier rond te stommelen, ik moet niet blijven liggen, ik moet iets doen, moet een blocnote of een schrift pakken, een vulpen heb ik al, en die schrijft heel goed. Ik moet die pen tevoorschijn halen, de dop eraf schroeven en gewoon beginnen, ik heb al een idee voor de eerste zin, die zou kunnen luiden: 'Ik kom kort na middernacht' – op dat moment trilt op het nachtkastje mijn telefoon en begint over het gladde oppervlak te schuiven, ik steek mijn hand uit en vang hem op, neem het gesprek aan, hoor eerst niets en dan een stem die zegt: Papa? Kom je nu bijna naar huis?

EPILOOG

*Bij routinecontrole een jaar na levertransplantatie ver-
keert de patiënt in een uitstekende algehele conditie. De
transplantaatlever laat klinisch en biochemisch een goede
functie zien ten aanzien van synthese- en excretiefunctie.
In het lab en histologisch geen noemenswaardige aanwij-
zingen voor acute of chronische parenchymafwijkingen.
Echografisch geen afwijkingen in perfusie of morfologie
van de lever.*

Bij de productie van dit boek is gebruikgemaakt van papier dat het keurmerk Forest Stewardship Council® (FSC®) draagt. Bij dit papier is het zeker dat de productie niet tot bosvernietiging heeft geleid. Ook is het papier 100% chloor- en zwavelvrij gebleekt.